SIDO *suivi de* LES VRILLES DE LA VIGNE

D1382599

ŒUVRES DE COLETTE

La Maison de Claudine.
Les Vrilles de la Vigne.
Le voyage égoïste.
Sido.
Ces plaisirs...
Prisons et Paradis.
La jumelle noire (4 volumes).
Duo, roman.
Mes apprentissages.
Le Toutounier, roman.
Bella-Vista.
Gigi.
Le fanal bleu.
L'Ingénue libertine, roman.
Douze dialogues de bêtes.
La retraite sentimentale.
La Vagabonde, roman.
L'Envers du music-hall.
La chambre éclairée.
Chéri, roman.
Prrou, Poucette et quelques
autres.
L'Entrave, roman.
Les Heures longues.
Celle qui en revient.

Rêverie de Nouvel An.
Mitsou, ou comment l'esprit
vient aux filles, roman.
La paix chez les bêtes.
Aventures quotidiennes.
Dans la foule.
La femme cachée.
Le Blé en herbe, roman.
La naissance du jour.
La Fin de Chéri, roman.
La Chatte, roman.
Discours de réception.
Chambre d'hôtel.
Journal a rebours.
Julie de Carneilhan.
Le képi.
Mes cahiers.
Trois... Six... Neuf...
Broderie ancienne.
Nudité.
Paris de ma fenêtre.
L'Étoile Vesper.
Belles saisons.
Pour un herbier.
Trait pour trait.
La Seconde.

En « collaboration » avec M. Willy.

Claudine a l'école.
Claudine a Paris.

Claudine en ménage.
Claudine s'en va.

THÉATRE

En collaboration avec M. Léopold MARCHAND

La Vagabonde, pièce en 4 actes.
Chéri, pièce en 4 actes.

Parus dans Le Livre de Poche :

Claudine a l'école.
Claudine a Paris.
Claudine en ménage.
Claudine s'en va.
La Seconde.
La Chatte.

L'Ingénue libertine.
La Vagabonde.
Gigi.
Mitsou.
Chéri.
La retraite sentimentale.

Duo *suivi de* Le Toutounier.
Dialogues de bêtes.
La Maison de Claudine.
Chambre d'hôtel *suivi de* La lune de pluie.

COLETTE
DE L'ACADÉMIE GONCOURT

Sido

suivi de

Les Vrilles de la Vigne

HACHETTE

I

— Et pourquoi cesserais-je d'être de mon village? Il n'y faut pas compter. Te voilà bien fière, mon pauvre Minet-Chéri, parce que tu habites Paris depuis ton mariage. Je ne peux pas m'empêcher de rire en constatant combien tous les Parisiens sont fiers d'habiter Paris, les vrais parce qu'ils assimilent cela à un titre nobiliaire, les faux parce qu'ils s'imaginent avoir monté en grade. A ce compte-là, je pourrais me vanter que ma mère est née boulevard Bonne-Nouvelle! Toi, te voilà comme le pou sur ses pieds de derrière parce que tu as épousé un Parisien. Et quand je dis un Parisien... Les vrais Parisiens d'origine ont moins de caractère dans la physionomie. On dirait que Paris les efface!

Elle s'interrompait, levait le rideau de tulle qui voilait la fenêtre :

— Ah! voici Mlle Thévenin qui promène en triomphe, dans toutes les rues, sa cousine de Paris. Elle n'a pas besoin de le dire, que cette dame Quériot vient de Paris : beaucoup de seins, les pieds petits, et des chevilles trop fragiles pour le poids du corps; deux ou trois chaînes de cou, les cheveux très bien coiffés... Il ne m'en faut pas tant pour savoir que cette dame Quériot est caissière dans un grand café. Une caissière parisienne ne pare que sa tête et son buste, le reste ne voit guère le jour. En outre, elle ne marche pas assez et engraisse de l'estomac. Tu verras beaucoup, à Paris, ce modèle de femme-tronc.

Ainsi parlait ma mère, quand j'étais moi-même, autre-

fois, une très jeune femme. Mais elle avait commencé,
bien avant mon mariage, de donner le pas à la province
sur Paris. Mon enfance avait retenu des sentences, excom-
municatoires le plus souvent, qu'elle lançait avec une
force d'accent singulière. Où prenait-elle leur autorité,
leur suc, elle qui ne quittait pas, trois fois l'an, son dépar-
tement? D'où lui venait le don de définir, de pénétrer,
et cette forme décrétale de l'observation?

Ne l'eussé-je pas tenu d'elle, qu'elle m'eût donné,
je crois, l'amour de la province, si par province on n'entend
pas seulement un lieu, une région éloignés de la capitale,
mais un esprit de caste, une pureté obligatoire des mœurs,
l'orgueil d'habiter une demeure ancienne, honorée, close
de partout, mais que l'on peut ouvrir à tout moment
sur ses greniers aérés, son fenil empli, ses maîtres façonnés
à l'usage et à la dignité de leur maison.

En vraie provinciale, ma charmante mère, " Sido ",
tenait souvent ses yeux de l'âme fixés sur Paris. Théâtres
de Paris, modes, fêtes de Paris, ne lui étaient ni indiffé-
rents, ni étrangers. Tout au plus les aimait-elle d'une
passion un peu agressive, rehaussée de coquetteries,
bouderies, approches stratégiques et danses de guerre.
Le peu qu'elle goûtait de Paris, tous les deux ans environ,
l'approvisionnait pour le reste du temps. Elle revenait
chez nous lourde de chocolat en barre, de denrées exoti-
ques et d'étoffes en coupons, mais surtout de programmes
de spectacles et d'essence à la violette, et elle commençait
de nous peindre Paris dont tous les attraits étaient à sa
mesure, puisqu'elle ne dédaignait rien.

En une semaine elle avait visité la momie exhumée, le
musée agrandi, le nouveau magasin, entendu le ténor et
la conférence sur la *Musique birmane*. Elle rapportait un
manteau modeste, des bas d'usage, des gants très chers.

Surtout elle nous rapportait son regard gris voltigeant,
son teint vermeil que la fatigue rougissait, elle revenait
ailes battantes, inquiète de tout ce qui, privé d'elle, perdait la chaleur et le goût de vivre. Elle n'a jamais su qu'à
chaque retour l'odeur de sa pelisse en ventre-de-gris,
pénétrée d'un parfum châtain clair, féminin, chaste,
éloigné des basses séductions axillaires, m'ôtait la parole
et jusqu'à l'effusion.

D'un geste, d'un regard elle reprenait tout. Quelle
promptitude de main! Elle coupait des bolducs roses,
déchaînait des comestibles coloniaux, repliait avec soin
les papiers noirs goudronnés qui sentaient le calfatage.
Elle parlait, appelait la chatte, observait à la dérobée mon
père amaigri, touchait et flairait mes longues tresses pour
s'assurer que j'avais brossé mes cheveux... Une fois
qu'elle dénouait un cordon d'or sifflant, elle s'aperçut
qu'au géranium prisonnier contre la vitre d'une des
fenêtres, sous le rideau de tulle, un rameau pendait,
rompu, vivant encore. La ficelle d'or à peine déroulée
s'enroula vingt fois autour du rameau rebouté, étayé
d'une petite éclisse de carton... Je frissonnai, et crus
frémir de jalousie, alors qu'il s'agissait seulement d'une
résonance poétique, éveillée par la magie du secours efficace scellé d'or...

Il ne lui manquait, pour être une provinciale type, que
l'esprit de dénigrement. Le sens critique, en elle, se dres-
sait vigoureux, versatile, chaud et gai comme un jeune
lézard. Elle happait au vol le trait marquant, la tare,
signalait d'un éclair des beautés obscures, et traversait,
lumineuse, des cœurs étroits.

— Je suis rouge, n'est-ce pas? demandait-elle au sortir
de quelque âme en forme de couloir.

Elle était rouge en effet. Les pythonisses authentiques,

ayant plongé au fond d'autrui, émergent à demi suffo-
quées. Une visite banale, parfois, la laissait cramoisie
et sans force aux bras du grand fauteuil capitonné, en
reps vert.

— Ah! ces Vivenet!... Que je suis fatiguée... Ces
Vivenet, mon Dieu!

— Qu'est-ce qu'ils t'ont fait, maman?

J'arrivais de l'école, et je marquais ma petite mâchoire,
en croissants, dans un talon de pain frais, comblé de
beurre et de gelée de framboises...

— Ce qu'ils m'ont fait? Ils sont venus. Que m'auraient-
ils fait d'autre, et de pire? Les deux jeunes époux en visite
de noces, flanqués de la mère Vivenet... Ah! ces Vivenet!

Elle ne m'en disait guère plus, mais plus tard, quand
mon père rentrait, j'écoutais le reste.

— Oui, contait ma mère, des mariés de quatre jours!
Quelle inconvenance! des mariés de quatre jours, cela
se cache, ne traîne pas dans les rues, ne s'étale pas dans
des salons, ne s'affiche pas avec une mère de la jeune
mariée ou du jeune marié... Tu ris? Tu n'as aucun tact.
J'en suis encore rouge, d'avoir vu cette jeune femme de
quatre jours. Elle était gênée, elle, au moins. Un air
d'avoir perdu son jupon, ou de s'être assise sur un banc
frais peint. Mais lui, l'homme... Une horreur. Des pouces
d'assassin, et une paire de tout petits yeux embusqués au
fond de ses deux grands yeux. Il appartient à un genre
d'hommes qui ont la mémoire des chiffres, qui mettent
la main sur leur cœur quand ils mentent et qui ont soif
l'après-midi, ce qui est un signe de mauvais estomac et
de caractère acrimonieux.

— Pan! applaudissait mon père.

Bientôt j'avais mon tour, pour avoir sollicité la permission de porter des chaussettes l'été.

— Quand auras-tu fini de vouloir imiter Mimi Antonin dans tout ce qu'elle fait, chaque fois qu'elle vient en vacances chez sa grand-mère? Mimi Antonin est de Paris, et toi d'ici. C'est l'affaire des enfants de Paris de montrer l'été leurs flûtes, sans bas, et l'hiver leurs pantalons trop courts et de pauvres petites fesses rouges. Les mères parisiennes remédient à tout, quand leurs enfants grelottent, par un petit tour de cou en mongolie blanche. Par les très grands froids, elles ajoutent une toque assortie. Et puis on ne commence pas à onze ans à porter des chaussettes. Avec les mollets que je t'ai faits? Mais tu aurais l'air d'une sauteuse de corde, et il ne te manquerait qu'une sébile en fer blanc.

Ainsi parlait-elle, et sans chercher jamais ses mots ni quitter ses armes, j'appelle armes ses deux paires de "verres", un couteau de poche, souvent une brosse à habits, un sécateur, de vieux gants, parfois le sceptre d'osier, épanoui en raquette trilobée, qu'on nomme "tapette" et qui sert à fouetter les rideaux et les meubles. La fantaisie de ma mère ne pliait que devant les dates qu'on fête, en province, par les nettoyages à fond, la lessive, l'embaumement des lainages et des fourrures. Mais elle ne se plaisait ni au fond des placards, ni dans la funèbre poudre du camphre, qu'elle remplaçait d'ailleurs par quelques cigares coupés en berlingots, les culots des pipes d'écume de mon père, et de grosses araignées qu'elle enfermait dans l'armoire giboyeuse, refuge des mites d'argent.

C'est qu'elle était agile et remuante, mais non ménagère appliquée; propre, nette, dégoûtée, mais loin du génie maniaque et solitaire qui compte les serviettes, les morceaux de sucre et les bouteilles pleines. La flanelle en mains, et surveillant la servante qui essuyait longuement

les vitres en riant au voisin, il lui échappait des cris nerveux, d'impatients appels à la liberté.

— Quand j'essuie longtemps et avec soin mes tasses
de Chine, disait-elle, je me sens vieillir...

Elle atteignait, loyale, la fin de la tâche. Alors elle
franchissait les deux marches de notre seuil, entrait dans
le jardin. Sur-le-champ tombaient son excitation morose
et sa rancune. Toute présence végétale agissait sur elle
comme un antidote, et elle avait une manière étrange de
relever les roses par le menton pour les regarder en plein
visage.

— Vois comme cette pensée ressemble au roi
Henri VIII d'Angleterre, avec sa barbe ronde, disait-elle.
Au fond, je n'aime pas beaucoup ces figures de reîtres
qu'ont les pensées jaunes et violettes...

DANS mon quartier natal, on n'eût pas compté vingt
maisons privées de jardin. Les plus mal partagées jouis-
saient d'une cour, plantée ou non, couverte ou non de
treilles. Chaque façade cachait un " jardin-de-derrière "
profond, tenant aux autres jardins-de-derrière par des
murs mitoyens. Ces jardins-de-derrière donnaient le ton
au village. On y vivait l'été, on y lessivait; on y fendait
le bois l'hiver, on y besognait en toute saison, et les
enfants, jouant sous les hangars, perchaient sur les ridelles
des chars à foin dételés.

Les enclos qui jouxtaient le nôtre ne réclamaient pas
de mystère : la déclivité du sol, des murs hauts et vieux,
des rideaux d'arbres protégeaient notre " jardin d'en
haut " et notre " jardin d'en bas ". Le flanc sonore de la
colline répercutait les bruits, portait, d'un atoll maraîcher
cerné de maisons à un " parc d'agrément ", les nouvelles.

De notre jardin, nous entendions, au Sud, Miton éternuer en bêchant et parler à son chien blanc dont il teignait, au 14 juillet, la tête en bleu et l'arrière-train en rouge. Au Nord, la mère Adolphe chantait un petit cantique en bottelant des violettes pour l'autel de notre église foudroyée, qui n'a plus de clocher. A l'Est, une sonnette triste annonçait chez le notaire la visite d'un client... Que me parle-t-on de la méfiance provinciale? Belle méfiance! Nos jardins se disaient tout.

Oh! aimable vie policée de nos jardins! Courtoisie, aménité de potager à "fleuriste" et de bosquet à basse-cour! Quel mal jamais fût venu par-dessus un espalier mitoyen, le long des faîtières en dalles plates cimentées de lichen et d'orpin brûlant, boulevard des chats et des chattes? De l'autre côté, sur la rue, les enfants insolents musaient, jouaient aux billes, troussaient leurs jupons, au-dessus du ruisseau; les voisins se dévisageaient et jetaient une petite malédiction, un rire, une épluchure dans le sillage de chaque passant, les hommes fumaient sur les seuils et crachaient... Gris de fer, à grands volets décolorés, notre façade à nous ne s'entrouvrait que sur mes gammes malhabiles, un aboiement de chien répondant aux coups de sonnette, et le chant des serins verts en cage.

Peut-être nos voisins imitaient-ils, dans leurs jardins, la paix de notre jardin où les enfants ne se battaient point, où bêtes et gens s'exprimaient avec douceur, un jardin où, trente années durant, un mari et une femme vécurent sans élever la voix l'un contre l'autre...

Il y avait dans ce temps-là de grands hivers, de brûlants étés. J'ai connu, depuis, des étés dont la couleur, si je ferme les yeux, est celle de la terre ocreuse, fendillée entre les tiges du blé et sous la géante ombelle du panais sauvage, celle de la mer grise ou bleue. Mais aucun été, sauf ceux de mon enfance, ne commémore le géranium écarlate et la hampe enflammée des digitales. Aucun hiver n'est plus d'un blanc pur à la base d'un ciel bourré de nues ardoisées, qui présageaient une tempête de flocons plus épais, puis un dégel illuminé de mille gouttes d'eau et de bourgeons lancéolés... Ce ciel pesait sur le toit chargé de neige des greniers à fourrages, le noyer nu, la girouette, et pliait les oreilles des chattes... La calme et verticale chute de neige devenait oblique, un faible ronflement de mer lointaine se levait sur ma tête encapuchonnée, tandis que j'arpentais le jardin, happant la neige volante... Avertie par ses antennes, ma mère s'avançait sur la terrasse, goûtait le temps, me jetait un cri :

— La bourrasque d'Ouest! Cours! Ferme les lucarnes du grenier!... La porte de la remise aux voitures!... Et la fenêtre de la chambre du fond!

Mousse exalté du navire natal, je m'élançais, claquant des sabots, enthousiasmée si du fond de la mêlée blanche et bleu noir, sifflante, un vif éclair, un bref roulement de foudre, enfants d'Ouest et de Février, comblaient tous deux un des abîmes du ciel... Je tâchais de trembler, de croire à la fin du monde.

Mais dans le pire du fracas ma mère, l'œil sur une grosse loupe cerclée de cuivre, s'émerveillait, comptant les cristaux ramifiés d'une poignée de neige qu'elle venait de cueillir aux mains même de l'Ouest rué sur notre jardin...

O géraniums, ô digitales... Celles-ci fusant des boistaillis, ceux-là en rampe allumés au long de la terrasse, c'est de votre reflet que ma joue d'enfant reçut un don vermeil. Car " Sido " aimait au jardin le rouge, le rose, les sanguines filles du rosier, de la croix-de-Malte, des hortensias et des bâtons-de-Saint-Jacques, et même le coqueret-alkékenge, encore qu'elle accusât sa fleur, veinée de rouge sur pulpe rose, de lui rappeler un mou de veau frais... A contre-cœur elle faisait pacte avec l'Est : " Je m'arrange avec lui ", disait-elle. Mais elle demeurait pleine de suspicion et surveillait, entre tous les cardinaux et collatéraux, ce point glacé, traître, aux jeux meurtriers. Elle lui confiait des bulbes de muguet, quelques bégonias, et des crocus mauves, veilleuses des froids crépuscules.

Hors une corne de terre, hors un bosquet de laurierscerises dominés par un junko-biloba — je donnais ses feuilles, en forme de raie, à mes camarades d'école, qui les séchaient entre les pages de l'atlas — tout le chaud jardin se nourrissait d'une lumière jaune, à tremblements rouges et violets, mais je ne pourrais dire si ce rouge, ce violet dépendaient, dépendent encore d'un sentimental bonheur ou d'un éblouissement optique. Étés réverbérés par le gravier jaune et chaud, étés traversant le jonc tressé de mes grands chapeaux, étés presque sans nuits... Car j'aimais tant l'aube, déjà, que ma mère me l'accordait en récompense. J'obtenais qu'elle m'éveillât à trois heures et demie, et je m'en allais, un panier vide à chaque bras, vers des terres maraîchères qui se réfugiaient dans le pli étroit de la rivière, vers les fraises, les cassis et les groseilles barbues.

A trois heures et demie, tout dormait dans un bleu originel, humide et confus, et quand je descendais le chemin de sable, le brouillard retenu par son poids baignait d'abord mes jambes, puis mon petit torse bien fait, atteignait mes lèvres, mes oreilles et mes narines plus sensibles que tout le reste de mon corps... J'allais seule, ce pays mal pensant était sans dangers. C'est sur ce chemin, c'est à cette heure que je prenais conscience de mon prix, d'un état de grâce indicible et de ma connivence avec le premier souffle accouru, le premier oiseau, le soleil encore ovale, déformé par son éclosion...

Ma mère me laissait partir, après m'avoir nommée " Beauté, Joyau-tout-en-or "; elle regardait courir et décroître sur la pente son œuvre, — " chef-d'œuvre ", disait-elle. J'étais peut-être jolie; ma mère et mes portraits de ce temps-là ne sont pas toujours d'accord... Je l'étais à cause de mon âge et du lever du jour, à cause des yeux bleus assombris par la verdure, des cheveux blonds qui ne seraient lissés qu'à mon retour, et de ma supériorité d'enfant éveillée sur les autres enfants endormis.

Je revenais à la cloche de la première messe. Mais pas avant d'avoir mangé mon saoul, pas avant d'avoir, dans les bois, décrit un grand circuit de chien qui chasse seul, et goûté l'eau de deux sources perdues, que je révérais. L'une se haussait hors de la terre par une convulsion cristalline, une sorte de sanglot, et traçait elle-même son lit sableux. Elle se décourageait aussitôt née et replongeait sous la terre. L'autre source, presque invisible, froissait l'herbe comme un serpent, s'étalait secrète au centre d'un pré où des narcisses, fleuris en ronde, attestaient seuls sa présence. La première avait goût de feuille de chêne, la seconde de fer et de tige de jacinthe... Rien qu'à parler d'elles je souhaite que leur saveur m'emplisse la bouche au moment de tout finir, et que j'emporte, avec moi, cette gorgée imaginaire...

Entre les points cardinaux auxquels ma mère dédiait des appels directs, des répliques qui ressemblaient, ouïes du salon, à de brefs soliloques inspirés, et les manifestations, généralement botaniques, de sa courtoisie; — entre

Cèbe et la rue des Vignes, entre la mère Adolphe et
Me de Fourolles, une zone de points collatéraux, moins
précise et moins proche, prenait contact avec nous par
des sons et des signaux étouffés. Mon imagination, mon
orgueil enfantins situaient notre maison au centre d'une
rose de jardins, de vents, de rayons, dont aucun secteur
n'échappait tout à fait à l'influence de ma mère.

Bien que ma liberté, à toute heure, dépendît d'une
escalade facile — une grille, un mur, un " toiton " incliné
— l'illusion et la foi me revenaient dès que j'atterrissais,
au retour, sur le gravier du jardin. Car, après la question :
" D'où viens-tu?... " et le rituel froncement de sourcils,
ma mère reprenait son tranquille, son glorieux visage de
jardin, beaucoup plus beau que son soucieux visage de
maison. De par sa suzeraineté et sa sollicitude, les murs
grandissaient, des terres inconnues remplaçaient les
enclos que j'avais sautillant de mur à mur, de branche
à branche, aisément franchis, et j'assistais aux prodiges
familiers :

— C'est vous que j'entends, Cèbe? criait ma mère.
Avez-vous vu ma chatte?

Elle repoussait en arrière la grande capeline de paille
rousse, qui tombait sur son dos, retenue à son cou par
un ruban de taffetas marron, et elle renversait la tête pour
offrir au ciel son intrépide regard gris, son visage couleur de pomme d'automne. Sa voix frappait-elle l'oiseau
de la girouette, la bondrée planante, la dernière feuille
du noyer, ou la lucarne qui avalait, au petit matin, les
chouettes?... O surprise, ô certitude... D'une nue à
gauche une voix de prophète enrhumé versait un :
" Non, Madame Colê...ê...tte! " qui semblait traverser à
grand-peine une barbe en anneaux, des pelotes de brumes,
et glisser sur des étangs fumants de froid. Ou bien :

— "Oui...î...î, Madame Colê...ê...tte", chantait à droite une voix d'ange aigrelet, probablement branché sur le cirrus fusiforme qui naviguait à la rencontre de la jeune lune. "Elle vous a entendû... ûe... Elle pâ...â...sse par le li... lâs... "

— Merci! criait ma mère, au jugé. Si c'est vous, Cèbe, rendez-moi donc mon piquet et mon cordeau à repiquages! J'en ai besoin pour aligner les laitues. Et faites doucement, je suis contre les hortensias!

Apport de songe, fruit d'une lévitation magique, jouet de sabbat, le piquet, quenouillé de ses dix mètres de cordelette, voyageait par les airs, tombait couché aux pieds de ma mère...

D'autres fois, elle vouait à des génies subalternes, invisibles, une fraîche offrande. Fidèle au rite, elle renversait la tête, consultait le ciel :

— Qui veut de mes violettes doubles rouges? criait-elle.

— Moi, Madame Colê... ê... tte! répondait l'inconnaissable de l'Est, plaintif et féminin.

— Prenez!

Le petit bouquet, noué d'une feuille aqueuse de jonquille, volait en l'air, recueilli avec gratitude par l'Orient plaintif.

— Qu'elles sentent donc bon! Dire que je n'arrive pas à élever les pareîl...eî...lles!

"Naturellement", pensais-je. Et j'étais près d'ajouter : "C'est une question de climats... "

Levée au jour, parfois devançant le jour, ma mère accordait aux points cardinaux, à leurs dons comme à leurs méfaits, une importance singulière. C'est à cause d'elle, par tendresse invétérée, que dès le matin, et du fond du lit je demande : " D'où vient le vent? " A quoi l'on me répond : " Il fait bien joli... C'est plein de passe-reaux dans le Palais-Royal... Il fait vilain... Un temps de saison. " Il me faut maintenant chercher la réponse en moi-même, guetter la course du nuage, le ronflement marin de la cheminée, réjouir ma peau du souffle d'Ouest, humide, organique et lourd de significations comme la double haleine divergente d'un monstre amical. A moins que je ne me replie haineusement devant la bise d'Est, l'ennemi, le beau-froid-sec et son cousin du Nord. Ainsi faisait ma mère, coiffant de cornets en papier toutes les petites créatures végétales assaillies par la lune rousse : " Il va geler, la chatte danse ", disait-elle.

Son ouïe, qu'elle garda fine, l'informait aussi, et elle captait des avertissements éoliens.

— Écoute sur Moutiers! me disait-elle.

Elle levait l'index, et se tenait debout entre les horten-sias, la pompe et le massif de rosiers. Là, elle centrali-sait les enseignements d'Ouest, par-dessus la clôture la plus basse.

— Tu entends?... Rentre le fauteuil, ton livre, ton chapeau : il pleut sur Moutiers. Il pleuvra ici dans deux ou trois minutes seulement.

Je tendais mes oreilles " sur Moutiers "; de l'horizon venaient un bruit égal de perles versées dans l'eau et la plate odeur de l'étang criblé de pluie, vannée sur ses vases verdâtres... Et j'attendais, quelques instants, que les douces gouttes d'une averse d'été, sur mes joues, sur mes lèvres, attestassent l'infaillibilité de celle qu'un seul être au monde — mon père — nommait " Sido ".

Des présages, décolorés par sa mort, errent encore autour de moi. L'un tient au Zodiaque, l'autre est pure-

ment botanique : quelques signes jouent avec les vents,
les lunaisons, les eaux souterraines. C'est à cause d'eux
que ma mère trouvait Paris fastidieux, car ils n'étaient
libres, efficaces, péremptoires, qu'au plein air de notre
province.

— Pour vivre à Paris, me confiait-elle, il m'y faudrait
un beau jardin. Et encore!... Ce n'est pas dans un jardin
de Paris que je pourrais cueillir et coudre pour toi, sur
un petit carton, les grands grains d'avoine barbue, qui
sont de si sensibles baromètres.

Je me gourmande d'avoir égaré, jusqu'au dernier,
ces baromètres rustiques, grains d'avoine dont les deux
barbes, aussi longues que celles des crevettes-bouquet,
viraient, crucifiées sur un carton, à gauche, à droite, pré-
disant le sec et le mouillé. " Sido " n'avait point sa pareille
pour feuilleter, en les comptant, les pelures micacées
des oignons.

— Une... deux... trois robes! Trois robes sur l'oignon!

Elle laissait choir lunettes ou binocle sur ses genoux,
ajoutait pensivement :

— C'est signe de grand hiver. Je ferai habiller de
paille la pompe. D'ailleurs, la tortue s'est déjà enterrée.
Et les écureuils, autour de la Guillemette, ont volé les
noix et les noisettes en quantité pour leurs provisions.
Les écureuils savent toujours tout.

Annonçait-on, dans un journal, le dégel? Ma mère
haussait l'épaule, riait de mépris :

— Le dégel? Les météorologues de Paris ne m'en
apprendront pas! Regarde les pattes de la chatte!

Frileuse, la chatte en effet pliait sous elle des pattes
invisibles, et serrait fortement les paupières.

— Pour un petit froid passager, continuait " Sido ",
la chatte se roule en turban, le nez contre la naissance

de la queue. Pour un grand froid, elle gare la plante de ses pattes de devant et les roule en manchon.

Sur des gradins de bois peints en vert, elle entretenait toute l'année des reposoirs de plantes en pots, géraniums rares, rosiers nains, reines-des-prés aux panaches de brume blanche et rose, quelques " plantes grasses " poilues et trapues comme des crabes, des cactus meurtriers... Un angle de murs chauds gardait des vents sévères son musée d'essais, des godets d'argile rouge où je ne voyais que terre meuble et dormante.

— Ne touche pas!

— Mais rien ne pousse!

— Et qu'en sais-tu? Est-ce toi qui en décides? Lis, sur les fiches de bois qui sont plantées dans les pots! Ici, graines de lupin bleu; là, un bulbe de narcisse qui vient de Hollande; là, graines de physalis; là, une bouture d'hibiscus — mais non, ce n'est pas une branche morte! — et là, des semences de pois de senteur dont les fleurs ont des oreilles comme des petits lièvres. Et là... Et là...

— Et là?...

Ma mère rejetait son chapeau en arrière, mordillait la chaîne de son lorgnon, m'interrogeait avec ingénuité :

— Je suis bien ennuyée... je ne sais plus si c'est une famille de bulbes de crocus, que j'ai enterrés, ou bien une chrysalide de paon-de-nuit...

— Il n'y a qu'à gratter, pour voir...

Une main preste arrêtait la mienne — que n'a-t-on moulé, peint, ciselé cette main de " Sido ", brunie, tôt gravée de rides par les travaux ménagers, le jardinage, l'eau froide et le soleil, ses doigts longs bien façonnés en pointe, ses beaux ongles ovales et bombés...

— A aucun prix! Si c'est la chrysalide, elle mourra au contact de l'air; si c'est le crocus, la lumière flétrira son

petit rejet blanc, — et tout sera à recommencer! **Tu
m'entends bien? Tu n'y toucheras pas?**

— Non, maman...

A ce moment, son visage, enflammé de foi, de curiosité
universelle, disparaissait sous un autre visage plus âgé,
résigné et doux. Elle savait que je ne résisterais pas,
moi non plus, au désir de savoir, et qu'à son exemple je
fouillerais, jusqu'à son secret, la terre du pot à fleurs.
Elle savait que j'étais sa fille, moi qui ne pensais pas à
notre ressemblance, et que déjà je cherchais, enfant,
ce choc, ce battement accéléré du cœur, cet arrêt du souffle : la solitaire ivresse du chercheur de trésor. Un trésor,
ce n'est pas seulement ce que couvent la terre, le roc ou la
vague. La chimère de l'or et de la gemme n'est qu'un
informe mirage : il importe seulement que je dénude et
hisse au jour ce que l'œil humain n'a pas, avant le mien,
touché...

J'allais donc, grattant à la dérobée le jardin d'essai,
surprendre la griffe ascendante du cotylédon, le viril
surgeon que le printemps chassait de sa gaine. Je contra-
riais l'aveugle dessein que poursuit la chrysalide d'un noir
brun bilieux et la précipitais d'une mort passagère au néant
définitif.

— Tu ne comprends pas... Tu ne peux pas comprendre.
Tu n'es qu'une petite meurtrière de huit ans... de dix
ans... Tu ne comprends rien encore à ce qui veut vivre...

Je ne recevais pas, en paiement de mes méfaits, d'autre
punition. Celle-là m'était d'ailleurs assez dure.

" Sido " répugnait à toute hécatombe de fleurs. Elle
qui ne savait que donner, je l'ai pourtant vue refuser
les fleurs qu'on venait parfois quêter pour parer un cor-
billard ou une tombe. Elle se faisait dure, fronçait les
sourcils et répondait " non " d'un air vindicatif.

— Mais c'est pour le pauvre M. Enfert, qui est mort hier à la nuit! La pauvre Mme Enfert fait peine, elle dit qu'elle voudrait voir partir son mari sous les fleurs, que ce serait sa consolation! Vous qui avez de si belles roses-mousse, madame Colette...

— Mes roses-mousse! Quelle horreur! Sur un mort!

Après ce cri, elle se reprenait et répétait :

— Non. Personne n'a condamné mes roses à mourir en même temps que M. Enfert.

Mais elle sacrifiait volontiers une très belle fleur à un enfant très petit, un enfant encore sans parole, comme le petit qu'une mitoyenne de l'Est lui apporta par orgueil, un jour, dans notre jardin. Ma mère blâma le maillot trop serré du nourrisson, dénoua le bonnet à trois pièces, l'inutile fichu de laine, et contempla à l'aise les cheveux en anneaux de bronze, les joues, les yeux noirs sévères et vastes d'un garçon de dix mois, plus beau vraiment que tous les autres garçons de dix mois. Elle lui donna une rose cuisse-de-nymphe-émue qu'il accepta avec emportement, qu'il porta à sa bouche et suça, puis il pétrit la fleur dans ses puissantes petites mains, lui arracha des pétales, rebordés et sanguins à l'image de ses propres lèvres...

— Attends, vilain! dit sa jeune mère.

Mais la mienne applaudissait, des yeux et de la voix, au massacre de la rose, et je me taisais, jalouse...

Elle refusait régulièrement aussi de prêter géraniums doubles, pélargoniums, lobélias, rosiers nains et reines-des-prés aux reposoirs de la Fête-Dieu, car elle s'écartait, — baptisée, mariée à l'église — des puérilités et des fastes catholiques. J'obtins d'elle la permission de suivre le catéchisme entre onze et douze ans, et les cantiques du " Salut ".

Le premier mai, comme mes camarades de catéchisme, je couchai le lilas, la camomille et la rose devant l'autel de la Vierge, et je revins fière de montrer un "bouquet béni". Ma mère rit de son rire irrévérencieux, regarda ma gerbe qui attirait les hannetons au salon jusque sous la lampe :

— Crois-tu qu'il ne l'était pas déjà, avant?

Je ne sais d'où lui venait son éloignement de tout culte. J'aurais dû m'en enquérir. Mes biographes, que je renseigne peu, la peignent tantôt sous les traits d'une rustique fermière, tantôt la traitent de "bohème fantaisiste". L'un d'eux, à ma stupeur, va jusqu'à l'accuser d'avoir écrit des œuvrettes littéraires destinées à la jeunesse!

Au vrai, cette Française vécut son enfance dans l'Yonne, son adolescence parmi des peintres, des journalistes, des virtuoses de la musique, en Belgique, où s'étaient fixés ses deux frères aînés, puis elle revint dans l'Yonne et s'y maria, deux fois. D'où, de qui lui furent remis sa rurale sensibilité, son goût fin de la province? Je ne saurais le dire. Je la chante, de mon mieux. Je célèbre la clarté originelle qui, en elle, refoulait, éteignait souvent les petites lumières péniblement allumées au contact de ce qu'elle nommait "le commun des mortels". Je l'ai vue suspendre, dans un cerisier, un épouvantail à effrayer les merles, car l'Ouest, notre voisin, enrhumé et doux, secoué d'éternuements en série, ne manquait pas de déguiser ses cerisiers en vieux chemineaux et coiffait ses groseilliers de gibus poilus. Peu de jours après, je trouvais ma mère sous l'arbre, passionnément immobile, la tête à la rencontre du ciel d'où elle bannissait les religions humaines...

— Chut!... Regarde...

Un merle noir, oxydé de vert et de violet, piquait les cerises, buvait le jus, déchiquetait la chair rosée...

— Qu'il est beau!... chuchotait ma mère. Et tu vois comme il se sert de sa patte? Et tu vois les mouvements de sa tête et cette arrogance? Et ce tour de bec pour vider le noyau? Et remarque bien qu'il n'attrape que les plus mûres...

— Mais, maman, l'épouvantail...

— Chut!... L'épouvantail ne le gêne pas...

— Mais, maman, les cerises!...

Ma mère ramena sur la terre ses yeux couleur de pluie :

— Les cerises?... Ah! oui, les cerises...

Dans ses yeux passa une sorte de frénésie riante, un universel mépris, un dédain dansant qui me foulait avec tout le reste, allégrement... Ce ne fut qu'un moment, — non pas un moment unique. Maintenant que je la connais mieux, j'interprète ces éclairs de son visage. Il me semble qu'un besoin d'échapper à tout et à tous, un bond vers le haut, vers une loi écrite par elle seule, pour elle seule, les allumait. Si je me trompe, laissez-moi errer.

Sous le cerisier, elle retomba encore une fois parmi nous, lestée de soucis, d'amour, d'enfants et de mari suspendus, elle redevint bonne, ronde, humble devant l'ordinaire de sa vie :

— C'est vrai, les cerises...

Le merle était parti, gavé, et l'épouvantail hochait au vent son gibus vide.

— J'ai vu, me contait-elle, moi qui te parle, j'ai vu neiger au mois de juillet.

— Au mois de juillet!

— Oui. Un jour comme celui-ci.

— Comme celui-ci...

Je répétais la fin de ses phrases. J'avais déjà la voix plus grave que la sienne, mais j'imitais sa manière. Je l'imite encore.

— Oui. Comme celui-ci, dit ma mère en soufflant sur un flocon impondérable d'argent, arraché au pelage de la chienne havanaise qu'elle peignait. Le flocon, plus fin que le verre filé, s'embarqua mollement sur un petit ruisseau d'air ascendant, monta jusqu'au toit, se perdit dans un excès de lumière...

— Il faisait beau, reprit ma mère, beau et bon. Vint une saute de vent, une queue d'orage que la saute de vent emmena et bloqua sur l'Est naturellement; une petite grêle très froide, puis une chute de grosse neige épaisse et lourde... Des roses couvertes de neige, des cerises mûres et des tomates sous la neige... Des géraniums rouges qui n'avaient pas eu le temps de refroidir et qui fondaient la neige à mesure qu'elle les couvrait... Ce sont des tours de celui-là...

Elle désignait, du coude, et menaçait du menton le siège altier, l'invisible lit de justice de son ennemi, l'Est, que je cherchai par-delà les chaudes nues croulantes et blanches du bel été...

— Mais j'ai vu bien autre chose! reprenait ma mère.

— Autre chose?...

Peut-être avait-elle rencontré, un jour, — montant vers Bel-Air, ou sur la route de Thury, — l'Est lui-même? Peut-être un grand pied violacé, la mare gelée d'une prunelle immense avaient-ils, pour qu'elle me les décrivît, divisé les nuages?...

— J'étais grosse de ton frère Léo, et je promenais la jument avec la victoria.

— La même jument que maintenant?

— Naturellement, la même jument. Tu n'as que dix ans. Crois-tu qu'on change de jument comme de chemise? La nôtre était alors une très belle jument, un peu jeune, que je laissais quelquefois mener par Antoine. Mais je montais dans la victoria, pour la rassurer.

Je me souviens que je voulus demander : " Pour rassurer qui? " Je me retins, jalouse de garder intactes la foi et l'incertitude d'une équivoque : pourquoi la présence de ma mère n'eût-elle pas rassuré la victoria?

— ...Tu comprends, quand elle entendait ma voix, elle se sentait plus tranquille...

Mais certainement, très tranquille, et tout étalée, en drap bleu entre ses deux lanternes riches, à couronnes de cuivre découpées en trèfles... Une figure de victoria tranquillisée... Parfaitement!

— Dieu, que tu as l'air bête en ce moment, ma fille!... Tu m'écoutes?

— Oui, maman...

— Donc, nous avions fait un grand tour, par une de ces chaleurs! J'étais énorme, et je me trouvais lourde. Nous rentrions au pas, et j'avais coupé des genêts fleuris, je me rappelle... Nous voilà arrivés à la hauteur du cimetière, — non, ce n'est pas une histoire de revenants, —

quand un nuage, un vrai nuage du Sud, marron roux,
avec un petit ourlet de mercure tout autour, se met à
monter plus vite dans le ciel, tonne un bon coup, et crève
en eau comme un seau percé! Antoine descend et veut
lever la capote pour m'abriter. Je lui dis : " Non, le plus
pressé c'est de tenir la jument à la tête : si la grêle vient,
elle s'emballera pendant que vous lèverez la capote. "
Il tient la jument qui dansait un peu sur place, mais je
lui parlais, tu comprends, comme s'il n'avait pas plu
ni tonné, je lui parlais sur un ton de beau temps et de
promenade au pas. Et je recevais un *agas* d'eau incroyable,
sur ma malheureuse petite ombrelle en soie... Le nuage
passé, j'étais assise dans un bain de siège, Antoine trempé,
et la capote pleine d'eau, d'une eau chaude, une eau à
dix-huit ou vingt degrés. Et quand Antoine a voulu
vider la capote, nous y avons trouvé quoi? Des grenouilles,
minuscules, vivantes, au moins trente grenouilles apportées à travers les airs par un caprice du Sud, par une
trombe chaude, une de ces tornades dont le pied en pas
de vis ramasse et porte à cent lieues un panache de sable,
de graines, d'insectes... J'ai vu cela, moi, oui!

Elle brandissait le peigne de fer qui servait à carder
la chevelure de la havanaise et les angoras. Elle ne s'étonnait pas que des prodiges météorologiques l'eussent
attendue au passage, et tutoyée.

Vous croirez sans peine qu'à l'appel de " Sido " le
vent du Sud se levait devant les yeux de mon âme, tors
sur son pas de vis, empanaché de graines, de sable, de
papillons morts, raciné au désert de Libye... Sa tête indis-
tincte et désordonnée s'agitait, secouant l'eau et la
pluie de grenouilles tièdes... Je suis capable encore de le
voir.

— Mais que tu as donc l'air bête aujourd'hui, ma fille!...

D'ailleurs tu es beaucoup plus jolie quand tu as l'air bête.
C'est dommage que cela t'arrive si rarement. Tu pèches
déjà, comme moi, par excès d'expression. J'ai toujours
l'air, quand j'égare mon dé, d'avoir perdu un parent bien-
aimé... Quand tu prends l'air bête, tu as les yeux plus
grands, la bouche entr'ouverte, et tu rajeunis... A quoi
penses-tu ?

— A rien, maman...

— Je ne te crois pas, mais c'est très bien imité. Vraiment très bien, ma fille. Tu es un miracle de gentillesse
et de fadeur !

Je tressaillais, je rougissais sous la louange piquante,
l'œil acéré, la voix aux finales hautes et justes. Elle ne
m'appelait " ma fille " que pour souligner une critique
ou une réprimande... Mais la voix, le regard étaient prompts
à changer :

— O mon Joyau-tout-en-or ! Ce n'est pas vrai, tu n'es
ni bête ni jolie, tu es seulement ma petite fille incompa-
rable !... Où vas-tu ?

Comme à tous les inconstants l'absolution me donnait
des ailes, et dûment embrassée, légère, j'apprêtais déjà
ma fuite.

— Ne t'en va pas loin à cette heure-ci ! Le soleil se
couche dans...

Elle ne consultait pas la montre, mais la hauteur du
soleil sur l'horizon, et la fleur du tabac ou le datura,
assoupis tout le jour et que le soir éveillait.

— ...dans une demi-heure, le tabac blanc embaume
déjà... Veux-tu porter des aconits, des ancolies et des cam-
panules chez Adrienne Saint-Aubin, et lui rendre la
Revue des Deux-Mondes ?... Change de ruban, mets-en un
bleu pâle... Tu as un teint pour le bleu pâle, ce soir.

Changer de ruban — jusqu'à l'âge de vingt-deux ans

on m'a vue coiffée de ce large ruban, noué autour de ma
tête, "à la Vigée-Lebrun", disait ma mère — et porter
un message de fleurs : ainsi ma mère m'avertissait que
j'étais, pendant une heure, un jour, particulièrement
jolie, et qu'elle s'enorgueillissait de moi. Le ruban en
papillon épanoui au-dessus du front, quelques cheveux
ramenés sur les tempes, je prenais les fleurs à mesure que
" Sido " les coupait.

— Maintenant va! Donne les ancolies doubles à
Adrienne Saint-Aubin. Le reste à qui tu voudras, dans
notre voisinage. Sur l'Est, il y a quelqu'un de malade, la
mère Adolphe... Si tu entres chez elle...

Elle n'avait pas le temps de finir sa phrase que je
reculais, d'un saut, renâclant comme une bête devant
l'odeur et l'image de la maladie... Ma mère me retenait
par le bout d'une de mes tresses, et son soudain visage
sauvage, libre de toute contrainte, de charité, d'huma-
nité, bondissait hors de son visage quotidien. Elle chuchotait :

— Tais-toi!... Je sais... Moi aussi... Mais il ne faut pas
le dire. Il ne faut jamais le dire! Va... Va maintenant.
Tu t'es encore mis cette nuit un papier à papillotes sur
le front, hein, mâtine? Enfin...

Elle lâchait ma rêne de cheveux, s'éloignait de moi
pour me mieux voir :

— Va leur montrer ce que je sais faire!

Mais, quoi qu'elle m'eût recommandé, je n'entrais pas
chez la malade de l'Est. Je passais la rue comme un
gué, en sautant de l'un à l'autre caillou pointu, et je ne
m'arrêtais que chez la singulière amie de ma mère, chez
" Adrienne ".

Les enfants et les neveux que celle-ci a laissés n'auront
pas gardé d'elle un souvenir plus vif que n'est le mien.

Vive, guetteuse et somnolente, un bel œil jaune de gitane sous les cheveux crépus, elle errait avec une sorte de lyrisme agreste, une exigence quotidienne de nomade. Sa maison lui ressemblait par le désordre et par une grâce qui se refuse aux sites et aux êtres policés. Pour fuir l'humide et funéraire pénombre, la verdure étouffante, roses et glycines, dans son jardin, escaladaient les ifs, gagnaient le soleil par des efforts d'ascension et des dépenses d'énergie qui réduisaient leurs tiges-mères, étirées, à une nudité de reptiles... Mille roses, réfugiées au sommet des arbres, fleurissaient hors d'atteinte, parmi des glycines à longues gouttes de fleurs et des bigonniers pourpres, victorieux ennemis des clématites épuisées...

Sous cette chevelure, la maison d'Adrienne suffoquait aux heures chaudes. Sûre d'y trouver des piles de livres éboulés, des champignons cueillis à l'aube, des fraises sauvages, des ammonites fossiles, et, selon la saison, des truffes grises de Puisaye, je m'y glissais à la manière d'un chat. Mais un chat hésite, et demeure interdit devant un plus chat. La présence d'Adrienne, son indifférence, un secret étincelant et bien gardé au fond de ses prunelles jaunes, je les supportais avec un trouble chagrin que je cotais peut-être à son prix. Elle mettait, à me négliger, une sorte d'art sauvage, et sa bohémienne, son universelle indifférence me blessait comme une rigueur d'exception.

Quand ma mère et Adrienne allaitaient, la première sa fille, la seconde son fils, elles échangèrent un jour, par jeu, leurs nourrissons. Parfois Adrienne m'interpellait en riant : " Toi que j'ai nourrie de mon lait!... " Je rougissais si follement que ma mère fronçait les sourcils, et cherchait sur mon visage la cause de ma rougeur. Comment dérober à ce lucide regard, gris de lame et

menaçant, l'image qui me tourmentait : le sein brun d'A-
drienne et sa cime violette et dure...

Oubliée chez Adrienne entre des cubes vacillants de
livres — toute la collection de la *Revue des Deux-Mondes*,
entre autres — entre les tomes innombrables d'une vieille
bibliothèque médicale à odeur de cave, entre des coquillages géants, des simples à demi secs, des pâtées de chat
aigries, le chien Perdreau, le matou noir à masque blanc
qui s'appelait " Colette " et mangeait le chocolat cru, je
tressaillais à un appel venu par-dessus les ifs entravés de
roses et les thuyas étiques que paralysait un python de
glycine... Dans notre maison, surgissant d'une fenêtre
comme pour annoncer le feu ou les voleurs, ma mère
criait mon nom... Etrange culpabilité d'une enfant sans
reproche : je courais, j'apprêtais un air simple, un essouf-
flement d'étourdie...

— Si longtemps chez Adrienne?

Pas un mot de plus, mais quel accent! Tant de clair-
voyance et de jalousie en " Sido ", tant de confusion en
moi refroidirent, à mesure que je grandissais, l'amitié des
deux femmes. Elles n'eurent jamais d'altercation, rien ne
s'expliqua entre ma mère et moi. Qu'eussions-nous expli-
qué? Adrienne se gardait de m'attirer ou de me retenir.
Ce n'est pas toujours par l'amour que la captation commence. J'avais dix ans, onze ans...

Il m'a fallu beaucoup de temps pour que j'associasse un
gênant souvenir, une certaine chaleur de cœur, la déformation féerique d'un être et de sa demeure, à l'idée d'une
première séduction.

" Sido " et mon enfance, l'une et l'autre, l'une par
l'autre furent heureuses au centre de l'imaginaire étoile
à huit branches, dont chacune portait le nom d'un des
points cardinaux et collatéraux. Ma douzième année vit

arriver la mauvaise fortune, les départs, les séparations. Réclamée par de quotidiens et secrets héroïsmes, ma mère appartint moins à son jardin, à sa dernière enfant...

J'aurais volontiers illustré ces pages d'un portrait photographique. Mais il m'eût fallu une " Sido " debout, dans le jardin, entre la pompe, les hortensias, le frêne pleureur et le très vieux noyer. Là je l'ai laissée, quand je dus quitter ensemble le bonheur et mon plus jeune âge. Là, je l'ai pourtant revue, un moment furtif du printemps de 1928. Inspirée et le front levé, je crois qu'à cette même place elle convoque et recueille encore les rumeurs, les souffles et les présages qui accourent à elle, fidèlement, par les huit chemins de la Rose des Vents.

II

LE CAPITAINE

Cela me semble étrange, à présent, que je l'aie si peu connu. Mon attention, ma ferveur, tournées vers " Sido ", ne s'en détachaient que par caprices. Ainsi faisait-il, lui, mon père. Il contemplait " Sido ". En y réfléchissant, je crois qu'elle aussi l'a mal connu. Elle se contentait de quelques grandes vérités encombrantes : il l'aimait sans mesure, — il la ruina dans le dessein de l'enrichir — elle l'aimait d'un invariable amour, le traitait légèrement dans l'ordinaire de la vie, mais respectait toutes ses décisions.

Derrière ces évidences aveuglantes, un caractère d'homme n'apparaissait que par échappées. Enfant, qu'ai-je su de lui? Qu'il construisait pour moi, à ravir, des " maisons de hannetons " avec fenêtres et portes vitrées et aussi des bateaux. Qu'il chantait. Qu'il dispensait — et cachait — les crayons de couleur, le papier blanc, les règles en palissandre, la poudre d'or, les larges pains à cacheter blancs que je mangeais à poignées... Qu'il nageait, avec sa jambe unique, plus vite et mieux que ses rivaux à quatre membres...

Mais je savais aussi qu'il ne s'intéressait pas beaucoup, en apparence du moins, à ses enfants. J'écris " en apparence ". La timidité étrange des pères, dans leurs rapports avec leurs enfants, m'a donné, depuis, beaucoup à penser. Les deux aînés de ma mère, fille et garçon, issus d'un premier mariage, — celle-là égarée dans le roman, à peine présente, habitée par les fantômes litté-

raires des héros; celui-ci altier, tendre en secret — l'ont
gêné. Il croyait naïvement que l'on conquiert un enfant
par des dons... Il ne voulut pas reconnaître sa fantaisie
musicienne et nonchalante dans son propre fils, "le
lazzarone", comme disait ma mère. C'est à moi qu'il
accorda le plus d'importance. J'étais encore petite quand
mon père commença d'en appeler à mon sens critique.
Plus tard, je me montrai, Dieu merci, moins précoce.
Mais quelle intransigeance, je m'en souviens, chez ce juge
de dix ans...

— Ecoute ça, me disait mon père.

J'écoutais, sévère. Il s'agissait d'un beau morceau de
prose oratoire, ou d'une ode, vers faciles, fastueux par le
rythme, par la rime, sonores comme un orage de montagne...

— Hein? interrogeait mon père. Je crois que cette
fois-ci!... Eh bien, parle!

Je hochais ma tête et mes nattes blondes, mon front
trop grand pour être aimable et mon petit menton en
bille, et je laissais tomber mon blâme :

— Toujours trop d'adjectifs!

Alors mon père éclatait, écrasait d'invectives la poussière, la vermine, le pou vaniteux que j'étais. Mais la
vermine, imperturbable, ajoutait :

— Je te l'avais déjà dit la semaine dernière, pour
l'*Ode à Paul Bert*. Trop d'adjectifs!

Il devait, derrière moi, rire, et peut-être s'enorgueillir...
Mais au premier moment nous nous toisions en égaux,
et déjà confraternels. C'est lui, à n'en pas douter, c'est
lui qui me domine quand la musique, un spectacle de
danse — et non les mots, jamais les mots! — mouillent
mes yeux. C'est lui qui se voulait faire jour, et revivre
quand je commençai, obscurément, d'écrire, et qui me

valut le plus acide éloge, — le plus utile à coup sûr :
— Aurais-je épousé la dernière des lyriques?

Lyrisme paternel, humour, spontanéité maternels,
mêlés, superposés, je suis assez sage à présent, assez fière
pour les départager en moi, tout heureuse d'un déli-
tage où je n'ai à rougir de personne ni de rien.

Oui, tous quatre, nous autres enfants, nous avons gêné
mon père. En est-il autrement dans les familles où l'homme, passant l'âge de l'amour, demeure épris de sa compagne? Nous avons, toute sa vie, troublé le tête-à-tête
que mon père rêvait... L'esprit pédagogique peut rappro-
cher un père de ses enfants. A défaut d'une tendresse,
beaucoup plus exceptionnelle qu'on ne l'admet généralement, un homme s'attache à ses fils par le goût orgueilleux d'enseigner. Mais Jules-Joseph Colette, homme
instruit, ne faisait parade d'aucune science. Pour " Elle ", il
avait d'abord aimé briller, jusqu'au jour où, l'amour gran-
dissant, mon père quitta jusqu'à l'envie d'éblouir " Sido ".

J'irais droit au coin de terre où fleurissaient les perce-
neige, dans le jardin. La rose, le treillage qui la portait,
je les peindrais de mémoire, ainsi que le trou dans le mur,
la dalle usée. La figure de mon père reste indécise, inter-
mittente. Dans le grand fauteuil de repos, il est resté assis.
Les deux miroirs ovales du pince-nez ouvert brillent
sur sa poitrine, et sa singulière lèvre en margelle dépasse
un peu, rouge, sa moustache qui rejoint sa barbe. Là
il est fixé, à jamais.

Mais ailleurs il erre et flotte, troué, barré de nuages,
visible par fragments. Sa main blanche ne saurait m'échapper, surtout depuis que je tiens mal mon pouce, en dehors,
comme lui, et que comme cette main mes mains froissent,
roulent, anéantissent le papier avec une fureur explosive.
Et la colère donc... Je ne parlerai pas de mes colères, qui

me viennent de lui. Mais qu'on aille voir seulement, à
Saint-Sauveur, l'état dans lequel mon père mit, de deux
coups de son pied unique, le chambranle de la cheminée
en marbre...

J'épèle, en moi, ce qui est l'apport de mon père, ce qui
est la part maternelle. Le capitaine Colette n'embrassait
pas les enfants : sa fille prétend que le baiser les fane. S'il
m'embrassait peu, du moins il me jetait en l'air, jusqu'au
plafond que je repoussais des deux mains et des genoux,
et je criais de joie. Sa force musculaire était grande,
ménagée et dissimulée d'une manière féline, et sans doute
entretenue par une frugalité qui déconcertait nos bas-
bourguignons : du pain, du café, beaucoup de sucre, un
demi-verre de vin, force tomates, des aubergines... Il
se résigna à prendre un peu de viande comme un remède,
passé soixante-dix ans. Sédentaire, ce méridional, tout
blanc dans sa peau de satin, n'engraissa jamais.

— Italien!... Homme au couteau!

Ainsi invectivait ma mère, quand elle n'était pas
contente de lui, ou bien quand l'extraordinaire jalousie
de son fidèle amant se faisait jour. De fait, s'il n'a jamais
tué personne, un poignard, dont le manche de corne
cachait un ressort, ne quittait jamais la poche de mon père,
qui méprisait l'arme à feu.

Les fausses colères du Midi tiraient de lui des gronde-
ments, des jurons grandiloquents, auxquels nous n'accordions aucune importance. Mais comme j'ai frémi, une
fois, d'entendre mélodieuse la voix de sa fureur véritable! J'avais onze ans.

Ma mystérieuse demi-sœur venait de se marier, à sa
guise, si mal et si tristement qu'elle n'espérait plus que
la mort : elle avala je ne sais quels cachets et le voisin
vint prévenir ma mère. Mon père et ma sœur ne s'étaient

guère liés en quelque vingt années. Mais mon père, qui
regardait souffrir " Sido ", dit sans élever le ton, et d'un
accent enchanteur :

— Allez dire au mari de *ma* fille, au docteur R...,
que, s'il ne sauve pas cette enfant, ce soir il aura cessé
de vivre.

Quelle suavité! Je fus saisie d'enthousiasme. Le beau son,
plein, musical comme le chant de la mer en courroux! N'eût
été la douleur de " Sido ", j'aurais regagné, dansant, le
jardin, et allégrement espéré la juste mort du docteur R...

Mal connu, méconnu... "Ton incorrigible gaîté! "
s'écriait ma mère. Ce n'était pas reproche, mais étonnement. Elle le croyait gai, parce qu'il chantait. Mais,
moi qui siffle dès que je suis triste, moi qui scande les
pulsations de la fièvre ou les syllabes d'un nom dévasta-
teur sur les variations sans fin d'un thème, je voudrais
qu'elle eût compris que la suprême offense, c'est la pitié.
Mon père et moi, nous n'acceptons pas la pitié. Notre
carrure la refuse. A présent, je me tourmente, à cause
de mon père, car je sais qu'il eut, mieux que toutes les
séductions, la vertu d'être triste à bon escient, et de ne
jamais se trahir.

Sauf qu'il nous fit souvent rire, sauf qu'il contait bien,
qu'emporté par son rythme il " brodait " avec hardiesse,
sauf cette mélodie qui s'élevait de lui, l'ai-je vu gai? Il
allait, précédé, protégé par son chant.

Rayons dorés, tièdes zéphyrs...

fredonnait-il en descendant notre rue déserte. Ainsi
" Elle " ignorerait, en l'entendant venir, que Laroche,

fermier des Lamberts, refusait impudemment de payer
son fermage, et qu'un prête-nom du même Laroche
avançait à mon père, — sept pour cent d'intérêts pour
six mois — une somme indispensable...

" *Par quel charme, dis-moi, m'as-tu donc enchanté?*
Quand je te vois, je crois que c'est par ton sourire... "

Qui donc eût pu croire que ce baryton, agile encore
sur sa béquille et sa canne, pousse devant lui sa romance
comme une blanche haleine d'hiver, afin qu'elle détourne
de lui l'attention?

Il chante : " Elle " oubliera peut-être aujourd'hui de
lui demander s'il a pu emprunter cent louis sur sa pension
d'officier amputé? Quand il chante, Sido l'écoute malgré
elle, et ne l'interrompt pas...

" *Les rendez-vous de noble compagnie*
Se donnent tous dans ce charmant-ant séjour,
Et doucement on y passe la vie (bis)
En célébrant le champagne et l'amour! (ter) "

S'il jette trop haut, aux murs de la rue de l'Hospice,
le *grupetto*, le point d'orgue final, et quelques *cocottes* de
fantaisie, ma mère apparaîtra sur le seuil, scandalisée,
riante :

— Oh! Colette!... Dans la rue!...

... et moyennant peut-être deux ou trois grivoiseries,
du genre ordinaire, décochées à une jeune voisine, " Sido "
froncera son sourcil clairsemé de Joconde, et chassera
d'elle le douloureux refrain qui ne franchit pas ses lèvres :
" Il va falloir vendre la Forge... vendre la Forge... Mon
Dieu, vendre la Forge aussi, après les Mées, les Choslins,
les Lamberts... "

Gai? Et pourquoi eût-il été, sincèrement, gai? Il avait besoin de vivre au sein d'une chaude approbation, après avoir eu besoin, dans sa jeunesse, de mourir publiquement et avec gloire. Réduit à son village et à sa famille, envahi et borné par son grand amour, il livra le plus vrai de lui-même à des étrangers, à des amis lointains. Un de ses compagnons d'armes, le colonel Godchot, vit encore, et garde des lettres, redit des mots du capitaine Colette... Etrange silence d'un homme qui parlait volontiers : il ne contait pas ses faits d'armes. C'est le capitaine Fournès, et le soldat Lefèvre, tous deux du 1er zouaves, qui ont transmis au colonel Godchot des "mots" de mon père. Dix-huit cent cinquante-neuf... Guerre d'Italie... Mon père, à 29 ans, tombe, la cuisse gauche arrachée, devant Melegnano. Fournès et Lefèvre s'élancent, le rapportent : "Où voulez-vous qu'on vous mette, mon capitaine?"

— Au milieu de la place, sous le drapeau!

Il n'a conté, à aucun des siens, cette parole, cette heure où il espéra mourir parmi le tonnerre et l'amour des hommes. Il ne nous a jamais dit, à nous, comment il gisait à côté de "son vieux Maréchal" (Mac-Mahon). Il ne m'a jamais parlé, à moi, de la seule longue et grave maladie qui m'ait atteinte. Mais voici que des lettres de lui (je l'apprends vingt ans après sa mort) sont pleines de mon nom, du mal de la "petite"...

Trop tard, trop tard... C'est le mot des négligents, des enfants et des ingrats. Non que je me sente plus coupable qu'une autre "enfant", au contraire. Mais n'aurais-je pas dû forcer, quand il était vivant, sa dignité goguenarde, sa frivolité de commande? Ne valions-nous pas, lui et moi, l'effort réciproque de nous mieux connaître?

Il était poëte, et citadin. La campagne, où ma mère semblait se sustenter de toute sève, et reprendre vie chaque fois qu'en se baissant elle en touchait la terre, éteignait mon père, qui s'y comporta en exilé.

Elle nous sembla parfois scandaleuse, la sociabilité qui l'appelait vers la politique des villages, les conseils municipaux, la candidature au conseil général, vers les assemblées, les comités régionaux où l'humaine rumeur répond à la voix humaine. Injustes, nous lui en voulions vaguement de ne pas assez nous ressembler, à nous qui nous dilations d'aise loin des hommes.

Je m'avise à présent qu'il cherchait à nous plaire, lorsqu'il organisait des "parties de campagne", comme font les habitants des villes. La vieille victoria bleue emportait famille, victuailles et chiens jusqu'aux bords d'un étang, Moutiers, Chassaing, ou la jolie flaque forestière de la Guillemette qui nous appartenait. Mon père manifestait le "sens du dimanche", le besoin urbain de fêter un jour entre les sept jours, au point qu'il se munissait de cannes à pêche, et de sièges pliants.

Au bord de l'étang, il essayait une humeur joviale qui n'était pas son humeur joviale de la semaine; il débouchait plaisamment la bouteille de vin, s'accordait une heure de pêche à la ligne, lisait, dormait un moment, et nous nous ennuyions, nous autres, sylvains aux pieds légers, entraînés à battre le pays sans voiture, et regrettant, devant le poulet froid, nos en-cas de pain frais, d'ail et de fromage. La libre forêt, l'étang, le ciel double exaltaient mon père, mais à la manière d'un noble décor. Plus il évoquait

> *... le bleu Titarèse, et le golfe d'argent...*

plus nous devenions taciturnes — je parle des deux garçons et de moi — nous qui n'accordions déjà plus d'autre aveu, à notre culte bocager, que le silence.

Assise au bord de l'étang, entre son mari et ses enfants sauvages, seule ma mère semblait recueillir mélancoliquement le bonheur de compter, gisants contre elle, sur l'herbe fine et jonceuse rougie de bruyère, ses bien-aimés... Loin du coup de sonnette importun, loin de l'anxieux fournisseur impayé, loin des voix cauteleuses, un cirque parfait de bouleaux et de chênes enfermait — j'excepte l'infidèle fille aînée — son œuvre et son tourment. Courant en risées sur les cimes des arbres, le vent franchissait la brèche ronde, touchait rarement l'eau. Les dômes des mousserons rosés crevaient le léger terreau, gris d'argent, qui nourrit les bruyères, et ma mère parlait de ce qu'elle et moi nous aimions le mieux.

Elle contait les sangliers des anciens hivers, les loups encore présents dans la Puysaie et la Forterre, le loup d'été, maigre, qui suivit, cinq heures durant, la victoria. " Si j'avais su quoi lui donner à manger... Il aurait bien mangé du pain... A toutes les côtes, il s'asseyait pour laisser à la voiture son avance d'une cinquantaine de mètres. De le sentir, la jument était furieuse, un peu plus c'est elle qui l'eût attaqué...

— Tu n'avais pas peur?

— Peur? Non. Ce pauvre grand loup gris, sec, affamé, sous un soleil de plomb... D'ailleurs j'étais avec mon premier mari. C'est lui aussi, mon premier mari, qui en chassant a vu le renard noyer ses puces. Une touffe d'herbes entre les dents, le renard est entré le derrière le premier, peu à peu, peu à peu, dans l'eau, jusqu'au museau...

Paroles innocentes, enseignements maternels que donnent aussi, à leurs petits, l'hirondelle, la mère lièvre, la chatte... Récits délicieux, dont mon père ne retenait qu'un mot : " mon premier mari... ", et il appuyait sur " Sido " ce regard bleu gris dans lequel personne n'a jamais pu lire... Que lui importaient, d'ailleurs, le renard, le muguet, la baie mûre, l'insecte? Il les aimait dans des livres, nous disait leurs noms scientifiques, et dehors les croisait sans les reconnaître... Il louait, sous le nom de " rose ", toute corolle épanouie, il prononçait l'o bref, à la provençale, en pinçant, entre le pouce et l'index, une " roz " invisible...

Le soir tombait enfin sur notre dimanche-aux-champs. De cinq, nous n'étions, souvent, plus que trois : mon père, ma mère et moi. Le rempart circulaire des bois assombris avait résorbé les deux longs garçons osseux, mes frères.

— Nous les rattraperons sur la route, en revenant, disait mon père.

Mais ma mère secouait la tête : ses garçons ne rentraient que par des sentes de traverse, des prés marécageux et bleus; coupant par les sablières, les ronciers, ils sautaient le mur au fond du jardin... Elle se résignait à les trouver chez nous, à la maison, un peu saignants, un peu loqueteux; elle reprenait sur l'herbe les reliefs du repas, quelques champignons frais cueillis, le nid de mésange vide, la cartilagineuse éponge cloisonnée, œuvre d'une colonie de guêpes, le bouquet sauvage, des cailloux empreints d'ammonites fossiles, le grand chapeau de " la petite ", et mon père, encore agile, remontait, d'un saut d'échassier, dans la victoria.

C'est ma mère qui caressait la jument noire, qui offrait à ses dents jaunies des pousses tendres, et qui essuyait les pattes du chien pataugeur. Je n'ai jamais vu mon père toucher un cheval. Nulle curiosité ne l'a attiré vers un chat, penché sur un chien. Jamais un chien ne lui a obéi...

— Allons, monte! ordonnait à Moffino la belle voix du capitaine.

Mais le chien, contre le marchepied de la voiture, battait de la queue froidement, et regardait ma mère...

— Monte, animal! Qu'est-ce que tu attends? répétait mon père.

" J'attends *l'ordre* ", semblait répondre le chien.

— Eh! saute! lui criais-je.

Il ne se le faisait pas dire deux fois.

— C'est très curieux, constatait ma mère.

— Ça prouve seulement la bêtise de ce chien, répliquait mon père.

Mais nous n'en croyions rien, " nous autres ", et mon père, au fond, se sentait secrètement humilié.

Les genêts jaunes, bottelés, faisaient queue de paon derrière nous dans la capote de la vieille voiture. Mon père, en approchant du village, reprenait son fredon défensif, et nous avions sans doute l'air très heureux, car l'air heureux était notre suprême et mutuelle politesse... Soir commençant, fumées courantes sur le ciel, fiévreuse première étoile, est-ce que tout, autour de nous, n'était pas aussi grave et aussi tremblant que nous-mêmes? Un homme, banni des éléments qui l'avaient jadis porté, rêvait amèrement...

Amèrement, — maintenant j'en suis sûre. Il faut du temps à l'absent pour prendre sa vraie forme en nous.

Il meurt, — il mûrit, il se fixe. "C'est donc toi? Enfin...
Je ne t'avais pas compris." Il n'est jamais trop tard,
puisque j'ai pénétré ce que ma jeunesse me cachait autrefois : mon brillant, mon allègre père nourrissait la tristesse
profonde des amputés. Nous n'avions presque pas conscience qu'il lui manquât, coupée en haut de la cuisse,
une jambe. Qu'eussions-nous dit à le voir soudain marcher comme tout le monde?

Ma mère elle-même ne l'avait connu qu'étayé de bé-
quilles, preste, et rayonnant d'insolence amoureuse. Mais
elle ignorait, faits d'armes exceptés, l'homme qui datait
d'avant elle, le Saint-Cyrien beau danseur, le lieutenant
solide comme un "bois-debout" — ainsi l'on nomme,
dans mon pays natal, l'antique billot, la rouelle de chêne
au grain serré que n'entame pas le hachoir. Elle ignorait
quand elle le suivait des yeux, que ce mutilé avait autrefois pu courir à la rencontre de tous les risques. Amèrement, le plus ailé de lui-même s'élançait encore, lorsqu'assis, et sa chanson suave aux lèvres, il restait aux côtés
de "Sido".

L'amour, et rien d'autre... Il n'avait gardé qu'elle.
Autour d'eux, le village, les champs, les bois, — le
désert... Il pensait qu'au loin ses amis, ses camarades conti-
nuaient. D'un voyage à Paris, il revint l'œil voilé, parce
que Davout d'Auerstaedt, grand chancelier de la Légion
d'Honneur, lui avait enlevé son ruban rouge pour le
remplacer par une rosette.

— Tu ne pouvais pas me la demander, vieux?

— Je n'avais pas demandé le ruban non plus, répondit
légèrement mon père.

Mais il nous conta la scène d'une voix enrouée. Où
situer la source de son émotion? Il portait cette rosette,
généreusement épanouie, à sa boutonnière. Le buste

femme. Passé un certain âge, une femme ne meur[t]
e jamais volontairement. Et puis je vous ai, en
Lui, il ne vous a pas.

elle savait tout, et jusqu'aux préférences indicibles.
la grappe pendue à ses flancs, à ses bras, mon
esait comme nous, et ne nous soutenait guère.
e fut malade, et il s'assit fréquemment près du lit.
uelle heure, quel jour seras-tu guérie? Gare, si tu
éris pas! J'aurai bientôt fait de ne plus vivre! "
e supportait pas cette pensée d'homme, sa menace,
xigence sans merci. Pour lui échapper, elle tournait
té et d'autre sa tête sur l'oreiller, comme elle fit
ard pour secouer les derniers liens.

Mon Dieu, Colette, tu me tiens chaud, se plaignait-
Tu remplis toute la chambre. Un homme est tou-
déplacé au chevet d'une femme. Va dehors! Va
s'il y a des oranges pour moi chez l'épicier... Va
nder à M. Rosimond de me prêter la *Revue des*
-*Mondes*... Mais marche doucement, le temps est
ux, tu reviendrais en moiteur!...

béissait, l'aisselle remontée sur sa béquille.

Tu vois? disait ma mère derrière lui. Tu vois
ir de vêtement vide qu'il prend quand je suis
le?

s la fenêtre, en s'en allant, il éclaircissait sa voix pour
e l'entendît :

" *Je pense à toi, je te vois, je t'adore,*
A tout instant, à toute heure, en tout lieu,
Je pense à toi quand je revois l'aurore,
Je pense à toi quand je ferme les yeux. "

Tu l'entends? Tu l'entends?... disait-elle fiévreu-
t.

droit, le bras posé sur la barre de sa béquille, il paradait, dans notre vieille voiture, dès l'entrée du village, pour les premiers passants de la Gerbaude. Rêvait-il aux divisionnaires qui marchaient sans étais et défilaient sur des chevaux, Février, Désandré — Fournès qui l'avait sauvé et le nommait encore, délicatement, "mon capitaine "... Un mirage de Sociétés savantes, peut-être de politique, de tribunes, de chatoyante algèbre... Un mirage de joies d'homme...

— Tu es si humain! lui disait parfois ma mère, avec un accent d'indéfinissable suspicion.

Elle ajoutait, pour ne le point trop blesser :

— Oui, tu comprends, tu étends la main pour savoir s'il pleut.

Il était grivois en anecdotes. La présence de ma mère arrêtait sur ses lèvres l'histoire toulonnaise, ou africaine. Elle, vive en paroles, se modérait chastement devant lui. Mais, distraite, entraînée par un rythme familier, elle se surprenait à fredonner des " sonneries " dont les textes furent transmis, sans altération, des armées impériales aux armées républicaines.

— Ne nous gênons plus, disait mon père derrière le *Temps* déployé.

— Oh... suffoquait ma mère. Pourvu que la petite n'ait pas entendu!

— Pour la petite, repartait mon père, ça n'a pas d'importance...

Et il attachait sur sa créature choisie l'extraordinaire regard gris bleu, plein de bravade, qui ne versait ses secrets à personne, mais qui avouait parfois : " J'ai des secrets. "

J'essaie, seule, d'imiter ce regard de mon père. Il m'arrive d'y réussir assez bien, surtout quand je m'en sers pour me mesurer avec un tourment caché. Tant est efficace le secours de l'insulte à ce qui vous domine le mieux, et grand le plaisir de fronder un maître : " Je mourrai peut-être de toi, mais crois bien que j'y mettrai le plus de temps possible... "

" La petite, ça n'a pas d'importance... " Quelle candeur, voyez, et comme il butait contre son amour, son seul amour! Je lui plaisais cependant, par des traits où il se fût reconnu, mais il me distinguait mal. Il perdait, peu à peu, le don d'observer, la faculté de comparer. Je n'avais pas plus de treize ans quand je remarquai que mon père cessait de voir, au sens terrestre du mot, sa " Sido " elle-même...

— Encore une robe neuve? s'étonnait-il. Peste, Madame!

Interloquée, " Sido " le reprenait sans gaîté :

— Neuve? Colette, voyons!... Où as-tu les yeux?

Elle pinçait entre deux doigts une soie élimée, une " visite " perlée de jais...

— Trois ans, Colette, tu m'entends? Elle a trois ans!... Et ce n'est pas fini! ajoutait-elle avec une hâte fière. Teinte en bleu marine...

Mais il ne l'écoutait plus. Il l'avait déjà jalousement rejointe, dans quelque lieu élu où elle portait chignon à boucles anglaises et corsage ruché de tulle, ouvert en cœur. En vieillissant, il ne tolérait même plus qu'elle eût mauvaise mine, qu'elle fût malade. Il lui jetait des " Allons! allons! " comme à un cheval qu'il avait seul le droit de surmener. Et elle allait...

Je ne les ai jamais surpris à s'embrasser avec abandon. D'où leur venait tant de pudeur? De " Sido ", assuré-

ment. Mon père n'y eût pas mis tant d[...] à tout ce qui venait d'elle, il écoutait so[...] au passage :

— Paye! lui ordonnait-il en désign[...] nue au-dessus de sa barbe. Ou on ne pa[...]

Elle " payait ", au vol, d'un baiser [...] piqûre, et s'enfuyait, irritée, si mes frère[...] vue " payer ".

Une seule fois, en été, un jour que n[...] de la table le plateau du café, je vis la tête[...] nantes de mon père, au lieu de réclamer[...] lier, penchées sur la main de ma mère ave[...] fougueuse, hors de l'âge, et telle que " S[...] autant que moi empourprée, s'en alla sans [...] petite encore, assez vilaine, occupée com[...] treize ans de toutes choses dont l'ignoranc[...] découverte humilie. Il me fut bon de conna[...] remettre en mémoire, par moments, cette co[...] de l'amour : une tête d'homme, déjà vieux, [...] un baiser sur une petite main de ménagère [...] ridée.

Il trembla, longtemps, de la voir mou[...] C'est une pensée commune aux amants, au[...] épris, un souhait sauvage qui bannit toute [...] " Sido ", avant la mort de mon père, me [...] aisément soulevée au-dessus de nous :

— Il ne faut pas que je meure avant lu[...] absolument pas! Vois-tu que je me lais[...] qu'il se tue, et qu'il se manque? Je le conn[...] d'un air de jeune fille.

Elle rêvait un peu, les yeux sur la petit[...] lon-Coligny, ou sur le carré de jardin p[...]

— Moi, je risque moins, tu compr[...]

Mais sa malice supérieure rajeunissait soudain tout
son visage; et elle se penchait hors de son lit :

— Ton père? Tu veux savoir ce que c'est que ton père?
Ton père, c'est le roi des maîtres-chanteurs!

Elle guérit, — elle guérissait toujours. Mais quand on
lui enleva un sein, et quatre ans après, l'autre sein, mon
père conçut d'elle une méfiance terrible, quoiqu'elle guérît
encore, chaque fois. Pour une arête de poisson qui, restée
au gosier de ma mère, l'obligeait à tousser violemment,
les joues congestionnées et les yeux pleins de larmes, mon
père, d'un coup de poing assené sur la table, dispersa
en éclats son assiette, et cria furieusement :

— Ça va finir?

Elle ne s'y trompa point et l'apaisa avec une délicatesse
miséricordieuse, des mots plaisants, de voltigeants regards. J'emploie toujours ces mots : " voltigeant regard ",
quand il s'agit d'elle. L'hésitation, le besoin d'un tendre
aveu, le devoir de mentir l'obligeaient à battre des paupières, tandis qu'allaient, venaient précipitamment ses
prunelles grises. Ce trouble, cette fuite vaine des prunelles
poursuivies par un regard d'homme bleu gris comme le
plomb fraîchement coupé, c'est tout ce qui me fut révélé
de la passion qui lia, pour leur vie entière, " Sido " et
le Capitaine.

Il y a dix ans, je sonnais, amenée par un ami, à la porte de Mme B..., qui a, professionnellement, commerce avec les "esprits". Elle nomme ainsi ce qui demeure, errant autour de nous, des défunts, particulièrement de ceux qui nous tinrent de près par le sang, et par l'amour. N'attendez pas que je professe une foi quelconque, ni même que je fréquente de passion les privilégiés qui lisent couramment l'invisible. Il s'agit d'une curiosité, toujours la même, qui me conduit indifféremment à visiter tour à tour Mme B..., la "femme-à-la-bougie", le chien-qui-compte, un rosier à fruits, comestibles, le docteur qui ajoute du sang humain à mon sang humain, que sais-je encore? Si cette curiosité me quitte, qu'on m'ensevelisse, je n'existe plus. Une de mes dernières indiscrétions s'adressa au grand hyménoptère d'acier bleu qui abonde, en Provence, pendant la floraison des "soleils", en juillet-août. Tourmentée d'ignorer le nom de ce guerrier bardé, je m'interrogeais : "A-t-il ou non un dard? Est-il seulement un samouraï magnifique et sans sabre?" Je suis bien soulagée d'être tirée d'incertitude. Une curieuse petite déformation, sur l'os d'une phalangine, atteste que le guerrier bleu est armé à merveille, et prompt à dégainer.

Chez Mme B..., j'eus l'agréable nouveauté d'un appartement moderne, traversé de soleil. Sur la fenêtre chantaient des oiseaux en cage, dans la pièce voisine des enfants riaient. Une aimable et ronde femme à cheveux

blancs m'affirma qu'elle n'avait besoin ni de clair-obscur,
ni d'aucun maléfique décor. Elle ne réclama qu'un instant
de méditation, et ma main serrée dans les siennes.

— Vous voulez me poser des questions? me demanda-
t-elle.

Je m'avisai alors que j'étais sans avidité, sans passion
pour un au-delà quelconque, sans souhaits immodérés,
et je ne trouvai rien à dire, sinon le mot le plus banal :

— Alors, vous voyez les morts? Comment sont-ils?

— Comme les vivants, répondit Mme B..., avec ron-
deur. Ainsi, derrière vous...

Derrière moi, c'était la fenêtre ensoleillée, et la cage
des serins verts.

— ...derrière vous est assis l' "esprit" d'un homme
âgé. Il porte une barbe non taillée, étalée, presque blanche.
Les cheveux assez longs, gris, rejetés en arrière. Des
sourcils... oh! par exemple, des sourcils... tout brous-
sailleux... et là-dessous des yeux oh! mais, des yeux!...
Petits, mais d'un éclat qui n'est pas soutenable... Voyez-
vous qui ça peut être?

— Oui. Très bien.

— En tout cas, c'est un esprit bien placé.

— ?...

— Bien placé dans le monde des esprits. Il s'occupe
beaucoup de vous... Vous ne le croyez pas?

— J'en doute un peu...

— Si. Il s'occupe beaucoup de vous *à présent*.

— Pourquoi à présent?

— Parce que vous représentez ce qu'il aurait tant
voulu être sur la terre. Vous êtes justement ce qu'il a
souhaité d'être. Lui, il n'a pas pu.

Je ne mentionnerai pas ici les autres "portraits"
que me fit Mme B... Ils valaient tous, à mes yeux, par

quelque détail dont la vigueur et le secret m'enchan-
tèrent comme une sorcellerie anodine et inexplicable.
D'un "esprit" où je fus bien obligée de reconnaître,
trait pour trait, mon demi-frère, l'aîné, elle dit, apitoyée :
" Je n'ai jamais vu un mort aussi triste! "

— Mais, lui dis-je, vaguement jalouse, ne voyez-vous
pas une femme âgée qui pourrait être ma mère?

Le bon regard de Mme B... errait autour de moi :

— Non, ma foi, répondit-elle enfin...

Elle ajouta, vive, et comme pour me consoler :

— Peut-être qu'elle se repose? Ça arrive... Vous êtes
seule d'enfant? (*sic*).

— J'ai encore un frère.

— Là!... s'exclama bonnement Mme B... Sans doute
qu'elle est occupée avec lui... Un esprit ne peut pas être
partout à la fois, vous savez...

Non, je ne le savais pas. J'appris dans la même visite
que le commerce des défunts s'accommode de lumière
terrestre, de familière gaîté. "Ils sont comme les vivants ", affirme, paisible dans sa foi, Mme B... Pourquoi
non? Comme les vivants, sauf qu'ils sont morts. Morts,
— et voilà tout. Aussi s'étonnait-elle de voir en mon frère
aîné un mort "aussi triste". Ainsi l'ai-je vu — ainsi le
voyait-elle à travers mon perméable mystère, sans doute
— très triste en vérité, et comme roué de coups par son
pénible et dernier passage, encore soucieux et fourbu...

Quant à mon père... "Vous êtes justement ce qu'il a
souhaité d'être, et de son vivant il n'a pas pu. " Là, j'ai
de quoi rêver, de quoi m'émouvoir. Sur un des plus hauts
rayons de la bibliothèque, je revois encore une série
de tomes cartonnés, à dos de toile noire. Les plats de
papier jaspé, bien collés, et la rigidité du cartonnage
attestaient l'adresse manuelle de mon père. Mais les

titres, manuscrits, en lettres gothiques, ne me tentaient point, d'autant que les étiquettes à filets noirs ne révélaient aucun auteur. Je cite de mémoire : *Mes campagnes, Les enseignements de 70, La Géodésie des géodésies, L'Algèbre élégante, Le maréchal de Mac-Mahon vu par un de ses compagnons d'armes, Du village à la Chambre, Chansons de zouave* (vers)... J'en oublie.

Quand mon père mourut, la bibliothèque devint chambre à coucher, les livres quittèrent leurs rayons.

— Viens donc voir, appela un jour mon frère, l'aîné.

Il transportait lui-même, classait, ouvrait les livres, taciturne, en quête d'une odeur de papier piqué, d'une de ces moisissures embaumées d'où se lève l'enfance révolue, d'un pétale de tulipe sec, encore jaspé comme l'agate arborescente...

— Viens donc voir...

La douzaine de tomes cartonnés nous remettait son secret, accessible, longtemps dédaigné. Deux cents, trois cents, cent cinquante pages par volume; beau papier vergé crémeux ou "écolier" épais, rogné avec soin, des centaines et des centaines de pages blanches... Une œuvre imaginaire, le mirage d'une carrière d'écrivain.

Il y en avait tant, de ces pages respectées par la timidité ou la nonchalance, que nous n'en vîmes jamais la fin. Mon frère y écrivit ses ordonnances, ma mère couvrit de blanc ses pots de confitures, ses petites-filles griffonneuses arrachèrent des feuillets, mais nous n'épuisâmes pas les cahiers vergés, l'œuvre inconnue. Ma mère s'y employait pourtant avec une sorte de fièvre destructive : "Comment, il y en a encore? Il m'en faut pour les côtelettes en papillotes... Il m'en faut pour tapisser mes petits tiroirs... " Ce n'était pas dérision, mais cuisant regret et besoin douloureux d'anéantir la preuve d'une impuissance...

J'y puisai à mon tour, dans cet héritage immatériel, au temps de mes débuts. Est-ce là que je pris le goût fastueux d'écrire sur des feuilles lisses, de belle pâte, et de ne les point ménager? J'osai couvrir de ma grosse écriture ronde la cursive invisible, dont une seule personne au monde apercevait le lumineux filigrane qui jusqu'à la gloire prolongeait la seule page amoureusement achevée, et signée, la page de la dédicace :

A ma chère âme,

son mari fidèle :

JULES-JOSEPH COLETTE.

III

LES SAUVAGES

— Des sauvages... Des sauvages... disait-elle. Que faire avec de tels sauvages?

Elle secouait la tête. Il y avait, dans son découragement, une part de choix, un désistement raisonné, peut-être aussi la conscience de sa responsabilité. Elle contemplait ses deux garçons, les demi-frères, et les trouvait beaux. L'aîné surtout, le châtain aux yeux pers, dix-sept ans, une bouche empourprée qui ne souriait qu'à nous et à quelques jolies filles. Mais le brun, à treize ans, n'était pas mal non plus, sous ses cheveux mal taillés qui descendaient jusqu'à ses yeux bleu-de-plomb, pareils à ceux de notre père...

Deux sauvages aux pieds légers, osseux, sans chair superflue, frugaux comme leurs parents, et qui préféraient aux viandes le pain bis, le fromage dur, la salade, l'œuf frais, la tarte aux poireaux ou à la citrouille. Sobres et vertueux, — de vrais sauvages...

— Que faire d'eux? soupirait ma mère.

Ils étaient si doux que nul ne les pouvait atteindre ni diviser.

L'aîné commandait, le second mêlait, à son zèle, une fantaisie qui l'isolait du monde. Mais l'aîné savait qu'il allait commencer ses études de médecine, tandis que le second espérait sourdement que rien ne commencerait jamais pour lui, sauf le jour suivant, sauf l'heure d'échapper à une contrainte civilisée, sauf la liberté totale de rêver et de se taire... Il l'espère encore.

Jouaient-ils? Rarement. Ils jouaient, si par jeu l'on entend que d'un radieux univers villageois ils ne voulaient que la fleur, le meilleur, le plus désert, le non-foulé, tout ce qui rajeunit et recommence à l'écart de l'homme. On ne les vit jamais déguisés en Robinsons, ni en conquérants, ni interprétant des saynètes improvisées. Le cadet, incorporé une fois à une troupe de garçons entichés de tragédie, n'y accepta qu'un rôle muet : le rôle du " fils idiot ".

C'est aux récits de ma mère qu'il me faut remonter, quand il me prend, comme à tous ceux qui vieillissent, la hâte, le prurit de posséder les secrets d'un être à jamais dissous. Lire le " chiffre " de sa turbulente jeunesse, heure par heure perdue en elle-même et d'elle-même renaissant; marquer, je ne sais quelle grâce m'aidant, marquer du doigt le promontoire d'où il se laissa tomber dans la plate mer des hommes, épeler le nom de ses astres contraires...

J'ai dit adieu au mort, à l'aîné sans rivaux; mais je recours aux récits maternels, et aux souvenirs de ma petite enfance, si je veux savoir comment se forma le sexagénaire à moustache grise qui se glisse chez moi, la nuit tombée, ouvre ma montre, et regarde palpiter l'aiguille trotteuse, — prélève, sur une enveloppe froissée, un timbre-poste étranger, — aspire, comme si le souffle lui avait tout le jour manqué, une longue bouffée de musique du *Columbia*, et disparaît sans avoir dit un mot...

Il provient, cet homme blanchissant, d'un petit garçon de six ans, qui suivait les musiciens mendiants quand ils traversaient notre village. Il suivit un clarinettiste borgne jusqu'à Saints — quatre kilomètres — et quand il revint, ma mère faisait sonder les puits du pays. Il écouta avec bonté les reproches et les plaintes, car il se fâchait rarement.

Quand il en eut fini avec les alarmes maternelles, il alla au piano, et joua fidèlement tous les airs du clarinettiste, qu'il enrichit de petites harmonies simples, fort correctes.

Ainsi faisait-il des airs du manège forain, à la Quasimodo, et de toutes les musiques, qu'il captait comme des messages volants.

— Il faudra, disait ma mère, qu'il travaille le mécanisme et l'harmonie. Il est encore plus doué que l'aîné. Il deviendrait un artiste... Qui sait?

Elle croyait encore, quand il avait six ans, qu'elle pouvait quelque chose pour lui, — ou contre lui. Un petit garçon si inoffensif!... Sauf son aptitude à disparaître, que pouvait-elle lui reprocher? Bref de taille, vif, très bien équilibré, il cessait miraculeusement d'être présent. Où le joindre? Les aires préférées des petits garçons ordinaires ne l'avaient pas même vu passer, ni la patinoire, ni la Place du Grand-Jeu damée par les pieds d'enfants. Mais plutôt dans la vieille glacière du château, souterrain tronqué qui datait de quatre siècles, ou dans la boîte de l'horloge de ville, place du Marché, ou bien enchaîné aux pas de l'accordeur de pianos qui venait une fois l'an du chef-lieu et donnait ses soins aux quatre "instruments" de notre village. "Quel instrument avez-vous?" "Madame Vallée va échanger son instrument..." "L'instrument de Mlle Philippon est bien fatigué!"

J'avoue qu'en ma mémoire le mot "instrument" appelle encore, à l'exclusion de toutes les autres images, celle d'un édifice d'acajou conservé dans l'ombre des salons provinciaux et brandissant, comme un autel, des bras de bronze et des cires vertes...

Oui, un petit garçon si inoffensif, qui n'exigeait rien, sauf, un soir...

— Je voudrais deux sous de pruneaux et deux sous
de noisettes, dit-il.

— Les épiceries sont fermées, répondit ma mère.
Dors, tu en auras demain.

— Je voudrais deux sous de pruneaux et deux sous
de noisettes, redemanda, le lendemain soir, le doux petit
garçon.

— Et pourquoi ne les as-tu pas achetés dans la journée?
se récria ma mère impatientée. Va te coucher!

Cinq soirs, dix soirs ramenèrent la même taquinerie,
et ma mère montra bien qu'elle était une mère singulière.
Car elle ne fessa pas l'obstiné, qui espérait peut-être qu'on
le fesserait, ou qui escomptait seulement une explosion
maternelle, les cris des nerfs à bout, les malédictions,
un nocturne tumulte qui retarderait le coucher...

Un soir après d'autres soirs, il prépara sa figure quotidienne d'enfant buté, le son modéré de sa voix :

— Maman?...

— Oui, dit maman.

— Maman, je voudrais...

— Les voici, dit-elle.

Elle se leva, aveignit dans l'insondable placard, près
de la cheminée, deux sacs grands comme des nouveau-
nés, les posa à terre de chaque côté de son petit garçon,
et ajouta :

— Quand il n'y en aura plus, tu en achèteras
d'autres.

Il la regardait d'en bas, offensé et pâle sous ses cheveux
noirs.

— C'est pour toi, prends, insista ma mère.

Il perdit le premier son sang-froid et éclata en larmes.

— Mais... mais... je ne les aime pas! sanglotait-il.

" Sido " se pencha, aussi attentive qu'au-dessus d'un

œuf fêlé par l'éclosion imminente, au-dessus d'une rose
inconnue, d'un messager de l'autre hémisphère :

— Tu ne les aimes pas? Qu'est-ce que tu voulais donc?

Il fut imprudent, et avoua :

— Je voulais les demander.

Lorsqu'elle partait chaque trimestre pour Auxerre à
deux heures du matin, dans la victoria, ma mère cédait
presque toujours aux instances de son enfant le plus
jeune. Le privilège de naître la dernière me conserva
longtemps ce grade d'enfant-le-plus-jeune, et ma place
dans le fond de la victoria. Mais avant moi il y eut pendant
une dizaine d'années ce petit garçon évasif et agile. Au
chef-lieu, il se perdait, car il déjouait toute surveillance.
Il se perdit ici et là, dans la cathédrale, dans la tour de
l'horloge, et notamment dans une grande épicerie, durant
qu'on emballait le pain de sucre drapé d'un biais de papier
indigo, les cinq kilos de chocolat, la vanille, la canelle,
la noix-muscade, le rhum pour les grogs, le poivre noir
et le savon blanc. Ma mère fit un cri de renarde :

— Ha!... Où est-il?

— Qui, madame Colette?

— Mon petit garçon! L'a-t-on vu sortir?

Personne ne l'avait vu sortir, et déjà ma mère, à défaut
de puits, interrogeait les cuves d'huile et les tonneaux de
saumure.

On ne le chercha pas trop longtemps, cette fois. Il
était au plafond. Tout en haut d'un des piliers de fonte
tors, qu'il étreignait des cuisses et des pieds comme un
grimpeur des cocotiers, il manœuvrait et écoutait les
rouages d'un gros cartel à face plate de chat-huant, vissé
sur la maîtresse-poutre.

Quand des parents ordinaires font souche d'enfants exceptionnels, il y a de grandes chances que les parents éblouis les poussent, fût-ce à grands coups de pied dans le derrière, vers des destinées qu'ils nomment meilleures. Ma mère, qui tenait pour naturel, voire obligatoire, d'enfanter des miracles, professait aussi que " l'on tombe toujours du côté où l'on penche ", et affirmait, pour se rassurer elle-même :

— Achille sera médecin. Mais Léo ne pourra pas échapper à la musique. Quant à la petite...

Elle levait les sourcils, interrogeait le nuage et me remettait à plus tard.

Exception bizarre, il n'était jamais question de l'avenir de ma sœur aînée, déjà majeure, mais étrangère à nous, étrangère à tous, volontairement isolée au sein de sa propre famille.

— Juliette est une autre espèce de sauvage, soupirait ma mère. Mais à celle-là personne ne comprend rien, même moi...

Elle se trompa, nous la trompâmes plus d'une fois. Elle ne se décourageait pas et nous coiffait d'une nouvelle auréole. Mais elle n'accepta jamais que son second fils échappât, comme elle disait, à la musique, car je lis dans mainte lettre qui date de la fin de sa vie : " *Sais-tu si Léo a un peu de temps pour travailler son piano? Il ne doit pas négliger un don qui est extraordinaire; je ne me lasserai pas d'insister là-dessus...* " A l'époque où ma mère m'écrivait ces lettres, mon frère était âgé de quarante-quatre ans.

Il a, quoi qu'elle en eût, échappé à la musique, puis aux études de pharmacie, puis successivement à tout, — à tout ce qui n'est pas son passé de sylphe. A mes yeux, il n'a pas changé : c'est un sylphe de soixante-trois ans. Comme un sylphe, il n'est attaché qu'au lieu natal,

à quelque champignon tutélaire, à une feuille recroque-
villée en manière de toit. On sait que les sylphes vivent
de peu, et méprisent les grossiers vêtements des hommes :
le mien erre parfois sans cravate, et long-chevelu. De dos,
il figure assez bien un pardessus vide, ensorcelé et vaga-
bond.

Sa modeste besogne de scribe, il l'a élue entre toutes,
pour ce qu'elle retient, assise, à une table, sa seule et
fallacieuse apparence d'homme. Tout le reste de lui,
libre, chante, entend des orchestres, compose, et revole
à la rencontre du petit garçon de six ans qui ouvrait toutes
les montres, hantait les horloges municipales, collection-
nait les épitaphes, foulait sans fatigue les mousses élastiques et jouait du piano de naissance... Il le retrouve aisément, revêt le petit corps agile et léger qu'il n'a jamais
quitté longtemps, et il parcourt un domaine mental où
tout est à la guise et à la mesure d'un enfant qui dure
victorieusement depuis soixante années.

Il n'est pas — quel dommage !... — d'enfant invul-
nérable. Celui-ci, pour vouloir confronter son rêve exact
avec une réalité infidèle, m'en revient déchiré, parfois...

Certain crépuscule ruisselant, à grandes draperies
d'eau et d'ombre sous chaque arcade du Palais-Royal,
me l'amena. Je ne l'avais pas vu depuis des mois. Il
s'assit, mouillé, à mon feu, prit distraitement sa singulière subsistance — des bonbons fondants, des gâteaux
très sucrés, du sirop — ouvrit ma montre, puis mon
réveil, les écouta longuement, et ne dit rien.

Je ne regardais qu'à la dérobée, dans sa longue figure,
sa moustache quasi blanche, l'œil bleu de mon père,
le nez, grossi, de " Sido " — traits survivants, assemblés
par des plans d'os, des muscles inconnus et sans origine
lisible... Une longue figure douce, éclairée par le feu,

douce et désemparée... Mais les us et coutumes de l'enfance, — réserve, discrétion, liberté, — sont encore si
vigoureux entre nous que je ne posai à mon frère aucune
question.

Quand il eut assez séché les ailes tristes, alourdies de
pluie, qu'il appelle son manteau, il fuma, l'œil cligné,
et frotta ses mains sèches, rouges d'ignorer en toute saison
l'eau chaude et les gants, et parla.

— Dis donc?

— Oui...

— J'ai été *là-bas*, tu sais?

— Non? Quand ça?

— J'en arrive.

— Ah!... dis-je avec admiration. Tu es allé à Saint-
Sauveur? Comment?

Il me fit un petit œil fat.

— C'est Charles Faroux qui m'a emmené en auto.

— Mon vieux!... C'est joli, en cette saison?

— Pas mal, dit-il brièvement.

Il enfla les narines, redevint sombre et se tut. Je me
remis à écrire.

— Dis donc?

— Oui...

— *Là-bas*, j'ai été aux Roches, tu sais?

Un chemin montueux de sable jaune se dressa dans
ma mémoire comme un serpent le long d'une vitre...

— Oh!... comment est-ce? Et le bois, en haut? Et
le petit pavillon? Les digitales... les bruyères...

Mon frère siffla.

— Fini. Coupé. Plus rien. Rasé. On voit la terre. On
voit...

Il faucha l'air du tranchant de la main, et rit des épaules,
en regardant le feu. Je respectai ce rire, et ne l'imitai pas.

Mais le vieux sylphe, frémissant et lésé, ne pouvait plus se taire. Il profita du clair-obscur, du feu rougeoyant.

— Ce n'est pas tout, chuchota-t-il. Je suis allé aussi à la Cour du Pâté...

Nom naïf d'une chaude terrasse, au flanc du château ruiné, arceaux de rosiers maigris par l'âge, ombre, odeur de lierre fleuri versées par la tour sarrazine, battants revêches et rougeâtres de la grille qui ferme la Cour du Pâté, accourez...

— Et alors, vieux, et alors?

Mon frère se ramassa sur lui-même.

— Une minute, commanda-t-il. Commençons par le commencement. J'arrive au château. Il est toujours asile de vieillards, puisque Victor Gandrille l'a voulu. Bon. Je n'ai rien à objecter. J'entre dans le parc, par l'entrée du bas, celle qui est près de Mme Billette...

— Comment, Mme Billette? Mais elle doit être morte depuis quarante ans au moins!

— Peut-être, dit mon frère avec insouciance. Oui... C'est donc ça qu'on m'a dit un autre nom... un nom impossible... S'*ils* croient que je vais retenir des noms que je ne connais pas!... Enfin j'entre par l'entrée du bas, je monte l'allée des tilleuls... Tiens, les chiens n'ont pas aboyé quand j'ai poussé la porte... fit-il avec irritation.

— Ecoute, vieux, ça ne pourrait pas être les mêmes chiens... Songe donc...

— Bon, bon... Détail sans importance... Je te passe sous silence les pommes de terre qu'*ils* ont plantées à la place des cœurs-de-jeannette et des pavots... Je passe même, poursuivit-il d'une voix intolérante, sur les fils de fer des pelouses, un quadrillage de fils de fer... on se demande ce qu'on voit... il paraît que c'est pour les vaches... Les vaches!...

Il berça un de ses genoux entre ses deux mains nouées, et sifflota d'un air artiste qui lui allait comme un chapeau haut de forme.

— C'est tout, vieux?

— Minute! répéta-t-il férocement. Je monte donc vers le canal, — si j'ose, dit-il avec une recherche incisive, appeler canal cette mare infecte, cette soupe de moustiques et de bouse… Passons. Je m'en vais donc à la Cour du Pâté, et…

— Et?…

Il tourna vers moi, sans me voir, un sourire vindicatif.

— J'avoue que je n'ai d'abord pas aimé particulièrement qu'*ils* fassent de la première cour, — devant la grille, derrière les écuries aux chevaux — une espèce de préau à sécher la lessive… Oui, j'avoue!… Mais je n'y ai pas trop fait attention, parce que j'attendais le " moment de la grille ".

— Quel moment de la grille?

Il claqua des doigts, impatienté.

— Voyons… Tu vois le loquet de la grille?

Comme si j'allais le saisir, — de fer noir, poli et fondu — je le vis en effet…

— Bon. Depuis toujours, quand on le tourne comme ça, — il mimait — et qu'on laisse aller la grille, alors elle s'ouvre par son propre poids, et en tournant elle dit…

— " *I-î-îan*… " chantâmes-nous d'une seule voix, sur quatre notes.

— Oui, dit mon frère en faisant danser fébrilement son genou gauche. J'ai tourné… J'ai laissé aller la grille… J'ai écouté… Tu sais ce qu'*ils* ont fait?

— Non…

— *Ils* ont huilé la grille, dit-il froidement.

Il partit presque aussitôt. Il n'avait pas autre chose à

me dire. Il recroisa les membranes humides de son grand
vêtement, et s'en alla, dépossédé de quatre notes, son
oreille musicienne tendue en vain, désormais, vers la
plus délicate offrande, composée par un huis ancien,
un grain de sable, une trace de rouille, et dédiée au seul
enfant sauvage qui en fût digne.

— Où en es-tu avec Mérimée?

— Il me doit dix sous.

— Tiens!... s'étonnait l'aîné.

— Oui, repartait le cadet, mais moi je redois trois francs.

— Sur qui?

— Sur un Victor Hugo.

— Quel volume?

— *Chansons des rues et des bois*, et je ne sais quoi d'autre... Ah! le chameau!

— Et encore, triomphait l'aîné, tu as dû lire ça à la va-vite! Verse les trois francs!

— Où veux-tu que je les prenne? Je n'ai pas le sou.

— Demande à maman.

— Oh...

— Demande à papa. Dis-lui que c'est pour acheter des cigarettes et que tu les lui demandes en cachette de maman, il te les donnera.

— Mais s'il ne me les donne pas?

— Alors, à l'amende. Cinq sous pour le retard!

Les deux sauvages, qui lisaient comme autrefois lisaient les adolescents de quatorze et de dix-sept ans, c'est-à-dire avec excès, avec égarement, le jour, la nuit, au sommet des arbres, dans les fenils, avaient frappé d'interdit le mot "mignonne", qu'ils prononçaient "minionne", avec une affreuse grimace tordue, suivie d'une imitation de nausée. Recensé dans chaque livre nouveau, chaque "mignonne", voué à l'exécration, créditait de deux sous une cagnotte. En revanche, un livre "vierge" rapportait dix sous à son lecteur. Le contrat jouait depuis deux mois, et l'argent, s'il en restait au bout du semestre, paierait des bombances, des filets à papillons, une nasse à goujons...

Mon jeune âge — huit ans — m'écartait de la combinaison. Au dire des deux frères, il y avait trop peu de temps que je ne grattais plus pour les manger, au long des chandelles, les "coulures" en forme de longues larmes, et les deux garçons m'appelaient encore "enfant de Cosaque". Pourtant je savais dire "minionne" en tordant la bouche, et m'efforcer ensuite de vomir, et j'apprenais à coter des romanciers selon les nouveaux statuts.

— Dickens rend beaucoup, disait un sauvage.

— Dickens ne devrait pas compter, rechignait l'autre, c'est une traduction. Le traducteur nous empile.

— Alors Edgar Poe non plus ne compte pas?

— Heu... Le bon sens commanderait d'exclure aussi les livres d'Histoire, qui "payent" dix sous à coup sûr. La Révolution n'est pas "mignonne" — beûh! — Charlotte Corday n'est pas "mignonne" — beûh! — Mérimée devrait être exclu, en tant qu'auteur de la *Chronique de Charles IX.*

— Alors qu'est-ce que tu fais du *Collier de la Reine*?

— Il joue. C'est du roman pur.

— Et les Balzac sur Catherine de Médicis?

— Tu parles comme un enfant. Ils jouent.

— Ah! non, mon vieux, permets!...

— Mon vieux, je fais appel à ta bonne foi... Tais-toi. On marche dans la rue.

Ils ne se disputaient jamais. Allongés sur le faîte du mur, ils y cuisaient au soleil d'après-midi, discutaient

avec feu et sans injures, et me concédaient une portion
de la dalle faîtière, doucement inclinée. De là nous domi-
nions la rue des Vignes, venelle déserte qui menait aux
jardins potagers éparpillés dans le vallon du Saint-Jean.
Mes frères se taisaient subtilement au plus lointain bruit
de pas, épousaient le mur en s'aplatissant et tendaient le
menton au-dessus de l'ennemi originel, — leur semblable...

— Ce n'est rien, c'est Chebrier qui va à son jardin,
avertit le cadet.

Ils oublièrent un moment leur débat, et laissèrent
passer sur eux l'heure encore chaude, la lumière oblique.
D'autres pas, nets et vifs, sonnèrent sur les silex bossus.
Un corsage lilas, un buisson de cheveux crépelés, d'un
rose de cuivre, éclairèrent le haut de la rue.

— Hou! la rousse! souffla le cadet. Hou! la carotte!
Il n'avait que quatorze ans, et voulait du mal aux
" filles ", qui l'éblouissaient d'une lumière trop crue.

— C'est Flore Chebrier qui rejoint son père, dit mon
frère aîné quand l'or et le lilas s'éteignirent en bas de la
rue. Elle a joliment changé.

Son cadet, couché sur le ventre, posa son menton
sur ses bras croisés. Il clignait par mépris et gonflait sa
bouche, qu'il avait ronde et renflée comme les petits
Eoles des vieilles cartes marines...

— C'est une carotte! C'est une rouge! Au feu! au feu!
cria-t-il avec une grossièreté d'écolier jaloux.

L'aîné haussa les épaules.

— Tu ne t'y connais guère en blondes, dit-il. Moi,
je la trouve très — mais très, très mignonne...

Un gros rire de garçonnet, enroué de mue, salua le
mot maudit que caressait la voix rêveuse de l'aîné, le
séducteur aux yeux pers. J'entendis une bousculade sur
le mur, les clous des souliers raclant la pierre, une chute

molle de corps liés sur la terre accueillante et sarclée, au pied des abricotiers. Mais ils se délièrent aussitôt avec une hâte sage.

Ils ne s'étaient jamais battus, ni insultés. Je crois qu'ils savaient déjà que ce bouquet de cheveux roux, ce corsage lilas, merveilles accessibles, ne devaient pas compter parmi leurs enjeux indivis, leurs délectations baroques et pudiques. D'un pas bien accordé, ils s'en retournèrent vers les " étaloirs " de liège où séchaient les machaons, vers la construction d'un jet d'eau, vers un " système " d'alambic à distiller la menthe des marais, instrument capricieux qui enlevait au produit distillé le parfum de la menthe, mais lui laissait intacte l'odeur du marécage...

Leur farouche humeur n'était pas toujours innocente. L'âge qu'on dit ingrat, qui étire douloureusement les corps enfantins, exige des holocaustes. Il fallait à mes frères une victime. Ils élurent un camarade de collège, que les vacances ramenaient dans le canton voisin. Mathieu M... n'avait point de défauts, ni de grands mérites. Sociable, bien vêtu, un peu blondasse, sa seule vue échauffait mes frères d'une perversité comparable à celle des femmes enceintes. Aussi s'attachait-il avec passion aux deux sauvages fiers, chaussés de toile, coiffés de jonc, et qui méprisaient ses cravates. L'aîné n'avait que rigueurs pour ce " fils de tabellion " et le cadet, par imitation et renchérissement, effilochait son mouchoir, retroussait son pantalon déjà trop court, pour accueillir Mathieu M..., ganté, qui descendait de son tricycle.

— J'ai apporté la partition des *Noces de Jeannette*, criait de loin l'affectueuse victime, et l'édition allemande des *Symphonies* de Beethoven à quatre mains!

Sombre, l'aîné, le barbare au frais visage, toisait l'intrus, banal enfant des hommes que rien n'obscurcissait, qui ne portait en lui ni vœu de solitude ni intolérance, qui se troublait sous son regard et mendiait :

— Tu veux faire un peu de quatre mains avec moi?

— Avec toi, non; — sans toi, oui.

— Je tournerai les pages, alors...

L'un soumis, l'autre inexplicablement malveillant et chargé d'orage, ils souffraient d'incompatibilité, mais

Mathieu M..., patient comme une épouse rudoyée, ne se lassait pas de revenir.

Un jour, les sauvages prirent le large dès le déjeuner, ne rentrèrent que le soir. Ils semblaient las, excités, et ils se jetèrent tout fumants sur les deux vieux canapés de reps vert.

— D'où venez-vous dans cet état? demanda notre mère.

— De loin, répondit avec douceur l'aîné.

— Mathieu est venu, il a paru surpris de ne pas te trouver.

— C'est un garçon qui s'étonne d'un rien...

Quand ils furent seuls avec moi, mes deux frères parlèrent. Je ne comptais guère, et d'ailleurs ils m'avaient élevée à ne point trahir. Je sus que cachés dans un bois qui surplombe la route de St-F... ils n'avaient pas, au passage de Mathieu, révélé leur présence. Je m'intéressai assez peu à des détails qu'ils ressassaient :

— Quand j'ai entendu le grelot de son tricycle... commençait le cadet.

— Je l'ai entendu de plus loin que toi, va...

— Pas sûr! Tu te souviens du moment où il s'est arrêté juste sous notre nez, pour s'essuyer?

Ils dialoguaient presque bas, couchés, les yeux au plafond. L'aîné s'agita :

— Oui... Cet animal, il regardait à gauche et à droite comme s'il nous flairait...

— Ça, mon vieux, c'est fort, hein? C'est curieux? C'est nous qui l'avons arrêté en le regardant, hein? Il avait l'air tout gêné, tout chose...

Les yeux de l'aîné noircissaient.

— Ça se peut... Il avait sa cravate écossaise... Cette cravate-là, j'ai toujours pensé qu'elle serait cause d'un malheur...

Je m'élançai entre eux, avide d'émotions :

— Et alors? Et alors? Quel malheur?

Ils me jetèrent tous deux le plus froid regard :

— D'où est-ce qu'elle sort, celle-là? Qu'est-ce qu'elle
veut avec son malheur?

— Mais c'est toi qui viens de dire...

Ils se redressèrent, s'assirent, ricanèrent de connivence :

— Il n'est rien arrivé, dit enfin l'aîné. Qu'est-ce que
tu veux qu'il arrive? On a laissé passer Mathieu, et on
a bien rigolé.

— C'est tout? fis-je, déçue...

Le cadet se leva d'un bond, il dansait sur place et ne se
possédait plus :

— Oui, c'est tout! Tu ne peux pas comprendre!
On était là, couchés, on l'avait au ras du menton! Lui,
sa cravate, sa raie de côté, ses manchettes, son nez qui
reluisait! Ah! bon Dieu, c'était épatant!

Il se pencha sur son aîné, le frôla du nez animalement :

— C'était facile de le tuer, hein?

Rigide, les yeux fermés, l'aîné ne répondit pas.

— Et vous ne l'avez pas tué? m'étonnai-je.

Ma surprise les arracha sans doute au bois obscur
où ils avaient, invisibles, tremblé d'affût et de plaisir
homicide, car ils éclatèrent de rire et redevinrent puérils
à mes dépens :

— Non, dit l'aîné, nous ne l'avons pas tué. Je ne
sais pas pourquoi, d'ailleurs...

Ragaillardi, il entonna ses improvisations préférées,
filles difformes du rythme et du verbe, conçues aux heures
où son esprit d'étudiant, rebutant le travail, s'accrochait
sans le savoir au relief des mots qu'il détergeait de leur
sens. Ma petite voix lui fit écho — je suis seule, maintenant, à affirmer, sur un air de polka, qu'

Un cachet
De benzo-naphtol
Ça fait du
Bien pour le
Mal à la tête!
Un cachet
De benzo-naphtol
Ça fait du
Bien pour la
Métrite du col!

Affirmation aventurée, contraire à toute thérapeutique, à laquelle je préférais, sinon la musique, du moins le texte d'une aubade connue :

Le baume analgésique
Du pharmacien Bengué
Bengué,
Eſt très diſtingué,
Quand on se l'applique,
On se sent soulagé,
Lagué, etc.

Ce soir-là, mon frère, encore exalté, chanta la nouvelle version de la *Sérénade* de Severo Torelli :

Nous n'avons pas tué, Mathieu,
Pour ce soir, ma brune,
Laissons vivre encore ce
Rival de la lune...

Le cadet, autour de lui, dansait, radieux comme un Lorenzaccio à son premier crime. Il s'interrompit et me promit, avec gentillesse :

— On le tuera la prochaine fois.

Ma demi-sœur, l'aînée de nous tous, — l'étrangère, l'agréable laide aux yeux thibétains — se fiança, à la veille de coiffer Sainte Catherine. Si ma mère n'osa empêcher ce mauvais mariage, elle ne tut pas ce qu'elle en pensait. De la rue de la Roche à la Gerbaude, de Bel-Air au Grand-Jeu, on ne parla que du mariage de ma sœur.

— Juliette se marie? demandait-on à ma mère. C'est un événement!

— Un accident, rectifiait " Sido ".

Certains risquaient, aigrement :

— Enfin, Juliette se marie! C'est inattendu! C'est un peu inespéré!

— Non, repartait " Sido " belliqueuse, c'est désespéré. Qui peut retenir une fille de vingt-cinq ans?

— Et qui épouse-t-elle?

— Oh! mon Dieu, le premier chien coiffé...

Au fond, elle prenait en pitié la vie, gorgée de rêves et de lecture effrénée, de sa fille solitaire. Mes frères considérèrent l'" événement " du haut de leur point de vue personnel. Une année d'études médicales à Paris n'avait pas apprivoisé l'aîné, haut, resplendissant et que le regard des femmes, quand il ne les désirait pas, offensait. Les mots " cortège nuptial ", " frac de soirée ", " déjeuner dînatoire ", " défilé ", tombèrent sur les deux sauvages comme des gouttes de poix bouillante...

— Je n'irai pas à la noce! protestait le cadet, l'œil pâle d'indignation, et toujours coiffé à la malcontent. Je ne donnerai pas le bras! Je ne mettrai pas un habit à queue!

— Tu es le garçon d'honneur de ta sœur, lui remon-
trait ma mère.

— Elle n'a qu'à ne pas se marier! Pour ce qu'elle
épouse!... Un type qui sent le vermouth! D'abord, elle
a toujours vécu sans nous, elle n'a pas davantage besoin
de nous pour se marier!

Notre bel aîné parlait moins. Mais nous lui voyions
son visage de sauteur de murs, son regard qui mesurait
les obstacles. Il y eut des jours difficiles, des récrimina-
tions que mon père, soucieux et qui fuyait l'odorant
intrus, n'apaisait pas. Puis les deux garçons parurent
consentir à tout. Bien mieux, ils suggérèrent l'idée d'orga-
niser eux-mêmes une messe en musique, et, de joie,
" Sido " oublia pendant quelques heures son " chien
coiffé " de gendre.

Notre piano Aucher prit le chemin de l'église, mêla
son joli son un peu sec au bêlement de l'harmonium.
Les sauvages répétaient, dans l'église vide qu'ils verrouil-
laient, la " Suite " de l'*Arlésienne*, je ne sais quel Stra-
della, un Saint-Saëns dévolu aux fastes nuptiaux...

Ma mère s'avisa trop tard que ses fils, retenus à leur
clavier d'exécutants, ne figureraient qu'un moment aux
côtés de leur sœur. Ils jouèrent, je me le rappelle, comme
des anges musiciens, et ensoleillèrent de musique la
messe villageoise, l'église sans richesses et sans clocher.
Je paradais, fière de mes onze ans, de ma chevelure de
petite Eve et de ma robe rose, fort contente de toutes
choses, sauf quand je regardais ma sœur tremblante de
faiblesse nerveuse, toute petite, accablée de faille et de
tulle blancs, pâle et qui levait sa singulière figure mon-
gole, défaillante, soumise au point que j'en eus honte,
vers un inconnu...

Les violons du bal mirent fin au long repas, et rien qu'à les entendre les deux garçons frémirent comme des chevaux neufs. Le cadet, un peu gris, resta. Mais l'aîné, à bout d'efforts, disparut. Il sauta, pour pénétrer dans notre jardin, le mur de la rue des Vignes, erra autour de notre maison fermée, brisa une vitre et ma mère le trouva couché quand elle rentra lasse, triste, ayant remis sa fille, égarée et grelottante, aux mains d'un homme.

Elle me contait plus tard cette petite aube poussiéreuse d'été, sa maison vide et comme pillée, sa fatigue sans joie, sa robe à " devant " perlé, les chats inquiets que la nuit et la voix de ma mère ramenaient. Elle me disait qu'elle avait trouvé son aîné endormi, les bras fermés sur sa poitrine, la bouche fraîche et les yeux clos, et tout empreint de sa sévérité de sauvage pur...

— Songe donc, c'est pour être seul, loin de ces gens en sueur, pour être endormi et caressé par le vent de la nuit qu'il avait brisé un carreau! Y eut-il jamais un enfant aussi sage?

Ce sage, je l'ai vu cent fois franchir la fenêtre, d'un bond réflexe, à chaque coup de sonnette qu'il ne prévoyait pas.

Grisonnant, tôt vieilli de travail, il retrouvait l'élasticité de son adolescence pour sauter dans le jardin, et ses fillettes riaient de le voir. Ses accès de misanthropie, encore qu'il les combattît, lui creusaient le visage. Peut-être qu'il trouvait, captif, son préau chaque jour plus étroit, et qu'il se souvenait des évasions qui jadis le menaient à un lit d'enfant où il dormait demi-nu, chaste et voluptueusement seul.

LES VRILLES DE LA VIGNE

AUTREFOIS, le rossignol ne chantait pas la nuit. Il avait un gentil filet de voix et s'en servait avec adresse du matin au soir, le printemps venu. Il se levait avec les camarades, dans l'aube grise et bleue, et leur éveil effarouché secouait les hannetons endormis à l'envers des feuilles de lilas.

Il se couchait sur le coup de sept heures, sept heures et demie, n'importe où, souvent dans les vignes en fleur qui sentent le réséda, et ne faisait qu'un somme jusqu'au lendemain.

Une nuit de printemps, le rossignol dormait debout sur un jeune sarment, le jabot en boule et la tête inclinée, comme avec un gracieux torticolis. Pendant son sommeil, les cornes de la vigne, ces vrilles cassantes et tenaces, dont l'acidité d'oseille fraîche irrite et désaltère, les vrilles de la vigne poussèrent si dru, cette nuit-là, que le rossignol s'éveilla ligoté, les pattes empêtrées de liens fourchus, les ailes impuissantes...

Il crut mourir, se débattit, ne s'évada qu'au prix de mille peines, et de tout le printemps se jura de ne plus dormir, tant que les vrilles de la vigne pousseraient.

Dès la nuit suivante, il chanta, pour se tenir éveillé :

Tant que la vigne pousse, pousse, pousse...
Je ne dormirai plus !
Tant que la vigne pousse, pousse, pousse...

Il varia son thème, l'enguirlanda de vocalises, s'éprit de sa voix, devint ce chanteur éperdu, enivré et haletant, qu'on écoute avec le désir insupportable de le voir chanter.

J'ai vu chanter un rossignol sous la lune, un rossignol libre et qui ne se savait pas épié. Il s'interrompt parfois, le col penché, comme pour écouter en lui le prolongement d'une note éteinte... Puis il reprend de toute sa force, gonflé, la gorge renversée, avec un air d'amoureux désespoir. Il chante pour chanter, il chante de si belles choses qu'il ne sait plus ce qu'elles veulent dire. Mais moi, j'entends encore à travers les notes d'or, les sons de flûte grave, les trilles tremblés et cristallins, les cris purs et vigoureux, j'entends encore le premier chant naïf et effrayé du rossignol pris aux vrilles de la vigne :

Tant que la vigne pousse, pousse, pousse...

Cassantes, tenaces, les vrilles d'une vigne amère m'avaient liée, tandis que dans mon printemps je dormais d'un somme heureux et sans défiance. Mais j'ai rompu, d'un sursaut effrayé, tous ces fils tors qui déjà tenaient à ma chair, et j'ai fui... Quand la torpeur d'une nouvelle nuit de miel a pesé sur mes paupières, j'ai craint les vrilles de la vigne et j'ai jeté tout haut une plainte qui m'a révélé ma voix.

Toute seule, éveillée dans la nuit, je regarde à présent monter devant moi l'astre voluptueux et morose... Pour me défendre de retomber dans l'heureux sommeil, dans le printemps menteur où fleurit la vigne crochue, j'écoute le son de ma voix. Parfois, je crie fiévreusement ce qu'on a coutume de taire, ce qui se chuchote très bas, — puis ma voix languit jusqu'au murmure parce que je n'ose poursuivre...

Je voudrais dire, dire, dire tout ce que je sais, tout ce que je pense, tout ce que je devine, tout ce qui m'enchante et me blesse et m'étonne; mais il y a toujours, vers l'aube de cette nuit sonore, une sage main fraîche qui se pose sur ma bouche, et mon cri, qui s'exaltait, redescend au verbiage modéré, à la volubilité de l'enfant qui parle haut pour se rassurer et s'étourdir...

Je ne connais plus le somme heureux, mais je ne crains plus les vrilles de la vigne.

RÊVERIE DE NOUVEL AN

Toutes trois nous rentrons poudrées, moi, la petite bull et la bergère flamande... Il a neigé dans les plis de nos robes, j'ai des épaulettes blanches, un sucre impalpable fond au creux du mufle camard de Poucette, et la bergère flamande scintille toute, de son museau pointu à sa queue en massue.

Nous étions sorties pour contempler la neige, la vraie neige et le vrai froid, raretés parisiennes, occasions, presque introuvables, de fin d'année... Dans mon quartier désert, nous avons couru comme trois folles, et les fortifications hospitalières, les fortifs décriées ont vu, de l'avenue des Ternes au boulevard Malesherbes, notre joie haletante de chiens lâchés. Du haut du talus, nous nous sommes penchées sur le fossé que comblait un crépuscule violâtre fouetté de tourbillons blancs; nous avons contemplé Levallois noir piqué de feux roses, derrière un voile chenillé de mille et mille mouches blanches, vivantes, froides comme des fleurs effeuillées, fondantes sur les lèvres, sur les yeux, retenues un moment aux cils, au duvet des joues... Nous avons gratté de nos dix pattes une neige intacte, friable, qui fuyait sous notre poids avec un crissement caressant de taffetas. Loin de tous les yeux, nous avons galopé, aboyé, happé la neige au vol, goûté sa suavité de sorbet vanillé et poussiéreux...

Assises maintenant devant la grille ardente, nous nous taisons toutes trois. Le souvenir de la nuit, de la neige, du vent déchaîné derrière la porte, fond dans nos veines

lentement et nous allons glisser à ce soudain sommeil
qui récompense les marches longues...

La bergère flamande, qui fume comme un bain de
pieds, a retrouvé sa dignité de louve apprivoisée, son
sérieux faux et courtois. D'une oreille, elle écoute le chu-
chotement de la neige au long des volets clos, de l'autre
elle guette le tintement des cuillères dans l'office. Son
nez effilé palpite, et ses yeux couleur de cuivre, ouverts
droit sur le feu, bougent incessamment, de droite à gauche,
de gauche à droite, comme si elle lisait... J'étudie, un
peu défiante, cette nouvelle venue, cette chienne fémi-
nine et compliquée qui garde bien, rit rarement, se conduit
en personne de sens et reçoit les ordres, les réprimandes
sans mot dire, avec un regard impénétrable et plein d'ar-
rière-pensées... Elle sait mentir, voler — mais elle crie,
surprise, comme une jeune fille effarouchée et se trouve
presque mal d'émotion. Où prit-elle, cette petite louve
au rein bas, cette fille des champs wallons, sa haine des
gens mal mis et sa réserve aristocratique? Je lui offre sa
place à mon feu et dans ma vie, et peut-être m'aimera-t-elle,
elle qui sait déjà me défendre...

Ma petite bull au cœur enfantin dort, foudroyée de
sommeil, la fièvre au museau et aux pattes. La chatte
grise n'ignore pas qu'il neige, et depuis le déjeuner je n'ai
pas vu le bout de son nez, enfoui dans le poil de son
ventre. Encore une fois me voici, en face de mon feu,
de ma solitude, en face de moi-même...

Une année de plus... A quoi bon les compter? Ce jour
de l'An parisien ne me rappelle rien des premier janvier
de ma jeunesse; et qui pourrait me rendre la solennité
puérile des jours de l'An d'autrefois? La forme des années
a changé pour moi, durant que, moi, je changeais. L'année
n'est plus cette route ondulée, ce ruban déroulé qui

depuis janvier, montait vers le printemps, montait,
montait vers l'été pour s'y épanouir en calme plaine, en
pré brûlant coupé d'ombres bleues, taché de géraniums
éblouissants, — puis descendait vers un automne odorant,
brumeux, fleurant le marécage, le fruit mûr et le gibier,
— puis s'enfonçait vers un hiver sec, sonore, miroitant
d'étangs gelés, de neige rose sous le soleil... Puis le
ruban ondulé dévalait, vertigineux, jusqu'à se rompre
net devant une date merveilleuse, isolée, suspendue entre
les deux années comme une fleur de givre : le jour de
l'An...

Une enfant très aimée, entre des parents pas riches, et
qui vivait à la campagne parmi des arbres et des livres,
et qui n'a connu ni souhaité les jouets coûteux : voilà
ce que je revois, en me penchant ce soir sur mon passé...
Une enfant superstitieusement attachée aux fêtes des
saisons, aux dates marquées par un cadeau, une fleur,
un traditionnel gâteau... Une enfant qui d'instinct enno-
blissait de paganisme les fêtes chrétiennes, amoureuse
seulement du rameau de buis, de l'œuf rouge de Pâques,
des roses effeuillées à la Fête-Dieu et des reposoirs —
syringas, aconits, camomilles — du surgeon de noisetier
sommé d'une petite croix, bénit à la messe de l'Ascension
et planté sur la lisière du champ qu'il abrite de la grêle...
Une fillette éprise du gâteau à cinq cornes, cuit et mangé
le jour des Rameaux; de la crêpe, en carnaval; de l'odeur
étouffante de l'église, pendant le mois de Marie...

Vieux curé sans malice qui me donnâtes la communion,
vous pensiez que cette enfant silencieuse, les yeux ouverts
sur l'autel, attendait le miracle, le mouvement insaisissable de l'écharpe bleue qui ceignait la Vierge? N'est-ce
pas? J'étais si sage!... Il est bien vrai que je rêvais miracles, mais... pas les mêmes que vous. Engourdie par

l'encens des fleurs chaudes, enchantée du parfum mor-
tuaire, de la pourriture musquée des roses, j'habitais,
cher homme sans malice, un paradis que vous n'imaginiez
point, peuplé de mes dieux, de mes animaux parlants,
de mes nymphes et de mes chèvre-pieds... Et je vous écoutais parler de votre enfer, en songeant à l'orgueil de l'homme qui, pour ses crimes d'un moment, inventa la géhenne
éternelle... Ah! qu'il y a longtemps!...

Ma solitude, cette neige de décembre, ce seuil d'une
autre année ne me rendront pas le frisson d'autrefois,
alors que dans la nuit longue je guettais le frémissement
lointain, mêlé aux battements de mon cœur, du tambour
municipal, donnant, au petit matin du 1er janvier, l'aubade
au village endormi... Ce tambour dans la nuit glacée,
vers six heures, je le redoutais, je l'appelais du fond de
mon lit d'enfant, avec une angoisse nerveuse proche
des pleurs, les mâchoires serrées, le ventre contracté...
Ce tambour seul, et non les douze coups de minuit,
sonnait pour moi l'ouverture éclatante de la nouvelle
année, l'avènement mystérieux après quoi haletait le
monde entier, suspendu au premier *rrran* du vieux tapin
de mon village.

Il passait, invisible dans le matin fermé, jetant aux murs
son alerte et funèbre petite aubade, et derrière lui une
vie recommençait, neuve et bondissante vers douze
mois nouveaux... Délivrée, je sautais de mon lit à la
chandelle, je courais vers les souhaits, les baisers, les
bonbons, les livres à tranches d'or... J'ouvrais la porte
aux boulangers portant les cent livres de pain et jusqu'à
midi, grave, pénétrée d'une importance commerciale,
je tendais à tous les pauvres, les vrais et les faux, le chan-
teau de pain et le décime qu'ils recevaient sans humilité
et sans gratitude...

Matins d'hiver, lampe rouge dans la nuit, air immobile
et âpre d'avant le lever du jour, jardin deviné dans l'aube
obscure, rapetissé, étouffé de neige, sapins accablés
qui laissiez, d'heure en heure, glisser en avalanches le
fardeau de vos bras noirs, — coups d'éventail des passe-
reaux effarés, et leurs jeux inquiets dans une poudre de
cristal plus ténue, plus pailletée que la brume irisée d'un
jet d'eau... O tous les hivers de mon enfance, une journée
d'hiver vient de vous rendre à moi! C'est mon visage
d'autrefois que je cherche, dans ce miroir ovale saisi d'une
main distraite, et non mon visage de femme, de femme
jeune que sa jeunesse va, bientôt, quitter...

Enchantée encore de mon rêve, je m'étonne d'avoir
changé, d'avoir vieilli pendant que je rêvais... D'un pin-
ceau ému je pourrais repeindre, sur ce visage-ci, celui
d'une fraîche enfant roussie de soleil, rosie de froid, des
joues élastiques achevées en un menton mince, des sourcils mobiles prompts à se plisser, une bouche dont les
coins rusés démentent la courte lèvre ingénue... Hélas,
ce n'est qu'un instant. Le velours adorable du pastel res-
suscité s'effrite et s'envole... L'eau sombre du petit miroir
retient seulement mon image qui est bien pareille, toute
pareille à moi, marquée de légers coups d'ongle, finement
gravée aux paupières, aux coins des lèvres, entre les
sourcils têtus... Une image qui ne sourit ni ne s'attriste,
et qui murmure, pour moi seule : "Il faut vieillir. Ne
pleure pas, ne joins pas des doigts suppliants, ne te révolte
pas : il faut vieillir. Répète-toi cette parole, non comme
un cri ce désespoir, mais comme le rappel d'un départ
nécessaire. Regarde-toi, regarde tes paupières, tes lèvres,
soulève sur tes tempes les boucles de tes cheveux : déjà
tu commences à t'éloigner de ta vie, ne l'oublie pas, il
faut vieillir!

" Eloigne-toi lentement, lentement, sans larmes; n'oublie rien! Emporte ta santé, ta gaîté, ta coquetterie, le peu de bonté et de justice qui t'a rendu la vie moins amère; n'oublie pas! Va-t'en parée, va-t'en douce, et ne t'arrête pas le long de la route irrésistible, tu l'essaierais en vain, — puisqu'il faut vieillir! Suis le chemin, et ne t'y couche que pour mourir. Et quand tu t'étendras en travers du vertigineux ruban ondulé, si tu n'as pas laissé derrière toi un à un tes cheveux en boucles, ni tes dents une à une, ni tes membres un à un usés, si la poudre éternelle n'a pas, avant ta dernière heure, sevré tes yeux de la lumière merveilleuse — si tu as, jusqu'au bout gardé dans ta main la main amie qui te guide, couche-toi en souriant, dors heureuse, dors privilégiée... "

CHANSON DE LA DANSEUSE

O TOI qui me nommes danseuse, sache, aujourd'hui, que je n'ai pas appris à danser. Tu m'as rencontrée petite et joueuse, dansant sur la route et chassant devant moi mon ombre bleue. Je virais comme une abeille, et le pollen d'une poussière blonde poudrait mes pieds et mes cheveux couleur de chemin...

Tu m'as vue revenir de la fontaine, berçant l'amphore au creux de ma hanche tandis que l'eau, au rythme de mon pas, sautait sur ma tunique en larmes rondes, en serpents d'argent, en courtes fusées frisées qui montaient, glacées, jusqu'à ma joue... Je marchais lente, sérieuse, mais tu nommais mon pas une danse. Tu ne regardais pas mon visage, mais tu suivais le mouvement de mes genoux, le balancement de ma taille, tu lisais sur le sable la forme de mes talons nus, l'empreinte de mes doigts écartés, que tu comparais à celle de cinq perles inégales...

Tu m'as dit : " Cueille ces fleurs, poursuis ce papillon..." car tu nommais ma course une danse, et chaque révérence de mon corps penché sur les œillets de pourpre, et le geste, à chaque fleur recommencé, de rejeter sur mon épaule une écharpe glissante...

Dans ta maison, seule entre toi et la flamme haute d'une lampe, tu m'as dit : "Danse! " et je n'ai pas dansé.

Mais nue dans tes bras, liée à ton lit par le ruban de feu du plaisir, tu m'as pourtant nommée danseuse, à voir bondir sous ma peau, de ma gorge renversée à mes pieds recourbés, la volupté inévitable...

Lasse, j'ai renoué mes cheveux, et tu les regardais, dociles, s'enrouler à mon front comme un serpent que charme la flûte...

J'ai quitté ta maison durant que tu murmurais : " La plus belle de tes danses, ce n'est pas quand tu accours, haletante, pleine d'un désir irrité et tourmentant déjà, sur le chemin, l'agrafe de ta robe... C'est quand tu t'éloignes de moi, calmée et les genoux fléchissants, et qu'en t'éloignant tu me regardes, le menton sur l'épaule... Ton corps se souvient de moi, oscille et hésite, tes hanches me regrettent et tes reins me remercient... Tu me regardes, la tête tournée, tandis que tes pieds divinateurs tâtent et choisissent leur route...

" Tu t'en vas, toujours plus petite et fardée par le soleil couchant, jusqu'à n'être plus, en haut de la pente, toute mince dans ta robe orangée, qu'une flamme droite, qui danse imperceptiblement... "

Si tu ne me quittes pas, je m'en irai, dansant, vers ma tombe blanche.

D'une danse involontaire et chaque jour ralentie, je saluerai la lumière qui me fit belle et qui me vit aimée.

Une dernière danse tragique me mettra aux prises avec la mort, mais je ne lutterai que pour succomber avec grâce.

Que les dieux m'accordent une chute harmonieuse, les bras joints au-dessus de mon front, une jambe pliée et l'autre étendue, comme prête à franchir, d'un bond léger, le seuil noir du royaume des ombres...

Tu me nommes danseuse, et pourtant je ne sais pas danser...

NUIT BLANCHE

Il n'y a dans notre maison qu'un lit, trop large, pour toi, un peu étroit pour nous deux. Il est chaste, tout blanc, tout nu; aucune draperie ne voile, en plein jour, son honnête candeur. Ceux qui viennent nous voir le regardent tranquillement, et ne détournent pas les yeux d'un air complice, car il est marqué, au milieu, d'un seul vallon moelleux, comme le lit d'une jeune fille qui dort seule.

Ils ne savent pas, ceux qui entrent ici, que chaque nuit le poids de nos deux corps joints creuse un peu plus, sous son linceul voluptueux, ce vallon pas plus large qu'une tombe.

O notre lit tout nu! Une lampe éclatante, penchée sur lui, le dévêt encore. Nous n'y cherchons pas, au crépuscule, l'ombre savante, d'un gris d'araignée, que filtre un dais de dentelle, ni la rose lumière d'une veilleuse couleur de coquillage... Astre sans aube et sans déclin, notre lit ne cesse de flamboyer que pour s'enfoncer dans une nuit profonde et veloutée.

Un halo de parfum le nimbe. Il embaume, rigide et blanc, comme le corps d'une bienheureuse défunte. C'est un parfum compliqué qui surprend, qu'on respire attentivement, avec le souci d'y démêler l'âme blonde de ton tabac favori, l'arôme plus blond de ta peau si claire, et ce santal brûlé qui s'exhale de moi; mais cette agreste odeur d'herbes écrasées, qui peut dire si elle est mienne ou tienne?

Reçois-nous ce soir, ô notre lit, et que ton frais vallon se creuse un peu plus sous la torpeur fiévreuse dont nous enivra une journée de printemps, dans les jardins et dans les bois.

Je gis sans mouvement, la tête sur ta douce épaule. Je vais sûrement, jusqu'à demain, descendre au fond d'un noir sommeil, un sommeil si têtu, si fermé, que les ailes des rêves le viendront battre en vain. Je vais dormi ... Attends seulement que je cherche, pour la plante de mes pieds qui fourmille et brûle, une place toute fraîche... Tu n'as pas bougé. Tu respires à longs traits, mais je sens ton épaule encore éveillée, attentive à se creuser sous ma joue... Dormons... Les nuits de mai sont si courtes. Malgré l'obscurité bleue qui nous baigne, mes paupières sont encore pleines de soleil, de flammes roses, d'ombres qui bougent, balancées, et je contemple ma journée les yeux clos, comme on se penche, derrière l'abri d'une persienne, sur un jardin d'été éblouissant...

Comme mon cœur bat! J'entends aussi le tien sous mon oreille. Tu ne dors pas? Je lève un peu la tête, je devine la pâleur de ton visage renversé, l'ombre fauve de tes courts cheveux. Tes genoux sont frais comme deux oranges... Tourne-toi de mon côté, pour que les miens leur volent cette lisse fraîcheur...

Ah! dormons!... Mille fois mille fourmis courent avec mon sang sous ma peau. Les muscles de mes mollets battent, mes oreilles tressaillent, et notre doux lit, ce soir, est-il jonché d'aiguilles de pin? Dormons! je le veux!

Je ne puis dormir. Mon insomnie heureuse palpite, allègre, et je devine, en ton immobilité, le même accablement frémissant... Tu ne bouges pas. Tu espères que je dors. Ton bras se resserre parfois autour de moi, par

tendre habitude, et tes pieds charmants s'enlacent aux
miens... Le sommeil s'approche, me frôle et fuit... Je le
vois! Il est pareil à ce papillon de lourd velours que je
poursuivais, dans le jardin enflammé d'iris... Tu te
souviens? Quelle lumière, quelle jeunesse impatiente
exaltait toute cette journée!... Une brise acide et pressée
jetait sur le soleil une fumée de nuages rapides, fanait en
passant les feuilles trop tendres des tilleuls, et les fleurs du
noyer tombaient en chenilles roussies sur nos cheveux,
avec les fleurs des paulownias, d'un mauve pluvieux du
ciel parisien... Les pousses des cassis que tu froissais,
l'oseille sauvage en rosace parmi le gazon, la menthe
toute jeune, encore brune, la sauge duvetée comme une
oreille de lièvre, — tout débordait d'un suc énergique
et poivré, dont je mêlais sur mes lèvres le goût d'alcool
et de citronnelle...

Je ne savais que rire et crier, en foulant la longue herbe
juteuse qui tachait ma robe... Ta tranquille joie veillait
sur ma folie, et quand j'ai tendu la main pour atteindre
ces églantines, tu sais, d'un rose si ému, — la tienne a
rompu la branche avant moi, et tu as enlevé, une à une,
les petites épines courbes, couleur de corail, en forme
de griffes... Tu m'as donné les fleurs désarmées...

Tu m'as donné les fleurs désarmées... Tu m'as donné,
pour que je m'y repose haletante, la place la meilleure
à l'ombre, sous le lilas de Perse aux grappes mûres... Tu
m'as cueilli les larges bleuets des corbeilles, fleurs enchan-
tées dont le cœur velu embaume l'abricot... Tu m'as
donné la crème du petit pot de lait, à l'heure du goûter
où ma faim féroce te faisait sourire... Tu m'as donné
le pain le plus doré, et je vois encore ta main transparente
dans le soleil, levée pour chasser la guêpe qui grésillait,
prise dans les boucles de mes cheveux... Tu as jeté sur

mes épaules une mante légère, quand un nuage plus long, vers la fin du jour, a passé ralenti, et que j'ai frissonné, toute moite, tout ivre d'un plaisir sans nom parmi les hommes, le plaisir ingénu des bêtes heureuses dans le printemps... Tu m'as dit : " Reviens... arrête-toi... Rentrons! " Tu m'as dit...

Ah! si je pense à toi, c'en est fait de mon repos. Quelle heure vient de sonner? Voici que les fenêtres bleuissent. J'entends bourdonner mon sang, ou bien c'est le murmure des jardins, là-bas... Tu dors? non. Si j'approchais ma joue de la tienne, je sentirais tes cils frémir comme l'aile d'une mouche captive... Tu ne dors pas. Tu épies ma fièvre. Tu m'abrites contre les mauvais songes; tu penses à moi comme je pense à toi, et nous feignons, par une étrange pudeur sentimentale, un paisible sommeil. Tout mon corps s'abandonne, détendu, et ma nuque pèse sur ta douce épaule; mais nos pensées s'aiment discrètement à travers cette aube bleue, si prompte à grandir...

Bientôt la barre lumineuse, entre les rideaux, va s'aviver, rosir... Encore quelques minutes, et je pourrai lire, sur ton beau front, sur ton menton délicat, sur ta bouche triste et tes paupières fermées, la volonté de paraître dormir... C'est l'heure où ma fatigue, mon insomnie énervées ne pourront plus se taire, où je jetterai mes bras hors de ce lit enfiévré, et mes talons méchants déjà préparent leur ruade sournoise...

Alors tu feindras de t'éveiller! Alors je pourrai me réfugier en toi, avec de confuses plaintes injustes, des soupirs excédés, des crispations qui maudiront le jour déjà venu, la nuit si prompte à finir, le bruit de la rue... Car je sais bien qu'alors tu resserreras ton étreinte, et que, si le bercement de tes bras ne suffit pas à me calmer, ton baiser se fera plus tenace, tes mains plus amou-

reuses, et que tu m'accorderas la volupté comme un
secours, comme l'exorcisme souverain qui chasse de
moi les démons de la fièvre, de la colère, de l'inquiétude... Tu me donneras la volupté, penché sur moi,
les yeux pleins d'une anxiété maternelle, toi qui
cherches, à travers ton amie passionnée, l'enfant que
tu n'as pas eu...

JOUR GRIS

LAISSE-MOI. Je suis malade et méchante, comme la mer. Resserre autour de mes jambes ce plaid, mais emporte cette tasse fumante, qui fleure le foin mouillé, le tilleul, la violette fade... Je ne veux rien, que détourner la tête et ne plus voir la mer, ni le vent qui court, visible, en risées sur le sable, en poudre d'eau sur la mer. Tantôt il bourdonne, patient et contenu, tapi derrière la dune, enfoui plus loin que l'horizon... Puis il s'élance, avec un cri guerrier, secoue humainement les volets, et pousse sous la porte, en frange impalpable, la poussière de son pas éternel...

Ah! qu'il me fait mal! Je n'ai plus en moi une place secrète, un coin abrité, et mes mains posées à plat sur mes oreilles n'empêchent qu'il traverse et refroidisse ma cervelle... Nue, balayée, dispersée, je resserre en vain les lambeaux de ma pensée; — elle m'échappe, palpitante, comme un manteau arraché, comme une mouette dont on tient les pattes et qui se délivre en claquant des ailes...

Laisse-moi, toi qui viens doucement, pitoyable, poser tes mains sur mon front. Je déteste tout, et par-dessus tout la mer! Va la regarder, toi qui l'aimes! Elle bat la terrasse, elle fermente, fuse en mousse jaune, elle miroite, couleur de poisson mort, elle emplit l'air d'une odeur d'iode et de fertile pourriture. Sous la vague plombée, je devine le peuple abominable des bêtes sans pieds, plates, glissantes, glacées... Tu ne sens donc pas que le flot et le

vent portent, jusque dans cette chambre, l'odeur d'un
coquillage gâté?... Oh! reviens, toi qui peux presque
tout pour moi! Ne me laisse pas seule! Donne, sous mes
narines que le dégoût pince et décolore, donne tes mains
parfumées, donne tes doigts secs et chauds et fins comme
des lavandes de montagne... Reviens! Tiens-toi tout près
de moi, ordonne à la mer de s'éloigner! Fais un signe
au vent, et qu'il vienne se coucher sur le sable, pour y
jouer en rond avec les coquilles... Fais un signe : il s'as-
soira sur la dune, léger, et s'amusera, d'un souffle, à
changer la forme des mouvantes collines...

Ah! tu secoues la tête... Tu ne veux pas, — tu ne peux
pas. Alors, va-t'en, abandonne-moi sans secours dans la
tempête, et qu'elle abatte la muraille et qu'elle entre et
m'emporte! Quitte la chambre, que je n'entende plus le
bruit inutile de ton pas. Non, non, pas de caresses! Tes
mains magiciennes, et ton accablant regard, et ta bouche,
qui dissout le souvenir d'autres bouches, seraient sans
force aujourd'hui. Je regrette, aujourd'hui, quelqu'un
qui me posséda avant tous, avant toi, avant que je fusse
une femme.

J'appartiens à un pays que j'ai quitté. Tu ne peux empêcher qu'à cette heure s'y épanouisse au soleil toute
une chevelure embaumée de forêts. Rien ne peut empêcher qu'à cette heure l'herbe profonde y noie le pied
des arbres, d'un vert délicieux et apaisant dont mon âme
a soif... Viens, toi qui l'ignores, viens que je te dise tout
bas : le parfum des bois de mon pays égale la fraise et la
rose! Tu jurerais, quand les taillis de ronces y sont en
fleurs, qu'un fruit mûrit on ne sait où, — là-bas, ici,
tout près, — un fruit insaisissable qu'on aspire en ouvrant
les narines. Tu jurerais, quand l'automne pénètre et
meurtrit les feuillages tombés, qu'une pomme trop

mûre vient de choir, et tu la cherches et tu la flaires, ici,
là-bas, tout près...

Et si tu passais en juin, entre les prairies fauchées, à
l'heure où la lune ruisselle sur les meules rondes qui sont
les dunes de mon pays, tu sentirais, à leur parfum, s'ouvrir
ton cœur. Tu fermerais les yeux, avec cette fierté grave
dont tu voiles ta volupté, et tu laisserais tomber ta tête,
avec un muet soupir...

Et si tu arrivais, un jour d'été, dans mon pays, au fond
d'un jardin que je connais, un jardin noir de verdure et
sans fleurs, si tu regardais bleuir, au lointain, une montagne ronde où les cailloux, les papillons et les chardons
se teignent du même azur mauve et poussiéreux, tu m'ou-
blierais, et tu t'assoirais là, pour n'en plus bouger jusqu'au terme de ta vie.

Il y a encore, dans mon pays, une vallée étroite comme
un berceau où, le soir, s'étire et flotte un fil de brouillard,
un brouillard ténu, blanc, vivant, un gracieux spectre
de brume couché sur l'air humide... Animé d'un lent
mouvement d'onde, il se fond en lui-même et se fait
tour à tour nuage, femme endormie, serpent langou-
reux, cheval à cou de chimère... Si tu restes trop
tard penché vers lui sur l'étroite vallée, à boire l'air
glacé qui porte ce brouillard vivant comme une âme,
un frisson te saisira, et toute la nuit tes songes seront
fous...

Écoute encore, donne tes mains dans les miennes :
si tu suivais, dans mon pays, un petit chemin que je connais, jaune et bordé de digitales d'un rose brûlant, tu
croirais gravir le sentier enchanté qui mène hors de la
vie... Le chant bondissant des frelons fourrés de velours
t'y entraîne et bat à tes oreilles comme le sang même de
ton cœur, jusqu'à la forêt, là-haut, où finit le monde...

C'est une forêt ancienne, oubliée des hommes, et toute pareille au paradis, écoute bien, car...

Comme te voilà pâle et les yeux grands! Que t'ai-je dit! Je ne sais plus... je parlais, je parlais de mon pays, pour oublier la mer et le vent... Te voilà pâle, avec des yeux jaloux... Tu me rappelles à toi, tu me sens si lointaine... Il faut que je refasse le chemin, il faut qu'une fois encore j'arrache, de mon pays, toutes mes racines qui saignent...

Me voici! de nouveau je t'appartiens. Je ne voulais qu'oublier le vent et la mer. J'ai parlé en songe... Que t'ai-je dit? Ne le crois pas! Je t'ai parlé sans doute d'un pays de merveilles, où la saveur de l'air enivre?... Ne le crois pas! N'y va pas : tu le chercherais en vain. Tu ne verrais qu'une campagne un peu triste, qu'assombrissent les forêts, un village paisible et pauvre, une vallée humide, une montagne bleuâtre et nue qui ne nourrit pas même les chèvres...

Reprends-moi! me voici revenue. Où donc est allé le vent, en mon absence? Dans quel creux de dune boude-t-il, fatigué? Un rayon aigu, serré entre deux nuées, pique la mer et rebondit ici, dans ce flacon où il danse à l'étroit...

Jette ce plaid qui m'étouffe; vois! la mer verdit déjà... Ouvre la fenêtre et la porte, et courons vers la fin dorée de ce jour gris, car je veux cueillir sur la grève les fleurs de ton pays apportées par la vague, — fleurs impérissables effeuillées en pétales de nacre rose, ô coquillages...

LE DERNIER FEU

Allume, dans l'âtre, le dernier feu de l'année! Le soleil et la flamme illumineront ensemble ton visage. Sous ton geste, un ardent bouquet jaillit, enrubanné de fumée, mais je ne reconnais plus notre feu de l'hiver, notre feu arrogant et bavard, nourri de fagots secs et de souches riches. C'est qu'un astre plus puissant, entré d'un jet par la fenêtre ouverte, habite en maître notre chambre, depuis ce matin...

Regarde! il n'est pas possible que le soleil favorise, autant que le nôtre, les autres jardins! Regarde bien! car rien n'est pareil ici à notre enclos de l'an dernier, et cette année, jeune encore et frissonnante, s'occupe déjà de changer le décor de notre douce vie retirée... Elle allonge, d'un bourgeon cornu et verni, chaque branche de nos poiriers, d'une houppe de feuilles pointues chaque buisson de lilas...

Oh! les lilas surtout, vois comme ils grandissent! Leurs fleurs que tu baisais en passant, l'an dernier, tu ne les respireras, Mai revenu, qu'en te haussant sur la pointe des pieds, et tu devras lever les mains pour abaisser leurs grappes vers ta bouche... Regarde bien l'ombre, sur le sable de l'allée, que dessine le délicat squelette du tamaris : l'an prochain, tu ne la reconnaîtras plus...

Et les violettes elles-mêmes, écloses par magie dans l'herbe, cette nuit, les reconnais-tu? Tu te penches, et comme moi tu t'étonnes; ne sont-elles pas, ce printemps-ci, plus bleues? Non, non, tu te trompes, l'an dernier je

les ai vues moins obscures, d'un mauve azuré, ne te sou-
viens-tu pas?... Tu protestes, tu hoches la tête avec ton
rire grave, le vert de l'herbe neuve décolore l'eau mor-
dorée de ton regard... Plus mauves... non, plus bleues...
Cesse cette taquinerie! Porte plutôt à tes narines le parfum invariable de ces violettes changeantes et regarde,
en respirant le philtre qui abolit les années, regarde comme
moi ressusciter et grandir devant toi les printemps de
ton enfance...

Plus mauves... non, plus bleues... Je revois des prés,
des bois profonds que la première poussée des bourgeons
embrume d'un vert insaisissable, — des ruisseaux froids,
des sources perdues, bues par le sable aussitôt que nées,
des primevères de Pâques, des jeannettes jaunes au cœur
safrané, et des violettes, des violettes, des violettes...
Je revois une enfant silencieuse que le printemps enchan-
tait déjà d'un bonheur sauvage, d'une triste et mystérieuse joie... Une enfant prisonnière, le jour, dans une
école, et qui échangeait des jouets, des images, contre les
premiers bouquets de violettes des bois, noués d'un fil de
coton rouge, rapportés par les petites bergères des fermes
environnantes... Violettes à courte tige, violettes blanches
et violettes bleues, et violettes d'un blanc bleu veiné de
nacre mauve, — violettes de coucou anémiques et larges,
qui haussent sur de longues tiges leurs pâles corolles
inodores... Violettes de février, fleuries sous la neige,
déchiquetées, roussies de gel, laideronnes, pauvresses
parfumées... O violettes de mon enfance! Vous montez
devant moi, toutes, vous treillagez le ciel laiteux d'avril,
et la palpitation de vos petits visages innombrables
m'enivre...

A quoi penses-tu, toi, la tête renversée? Tes yeux
tranquilles se lèvent vers le soleil qu'ils bravent... Mais

c'est pour suivre seulement le vol de la première abeille,
engourdie, égarée, en quête d'une fleur de pêcher miel-
leuse... Chasse-la! elle va se prendre au vernis de ce
bourgeon de marronnier!... Non, elle se perd dans l'air
bleu, couleur de lait de pervenches, dans ce ciel brumeux
et pourtant pur, qui t'éblouit... O toi, qui te satisfais
peut-être de ce lambeau d'azur, ce chiffon de ciel borné
par les murs de notre étroit jardin, songe qu'il y a, quelque part dans le monde, un lieu envié d'où l'on découvre
tout le ciel! Songe, comme tu songerais à un royaume
inaccessible, songe aux confins de l'horizon, au pâlisse-
ment délicieux du ciel qui rejoint la terre... En ce jour
de printemps hésitant, je devine là-bas, à travers les
murs, la ligne poignante, à peine ondulée, de ce qu'enfant
je nommais le bout de la terre... Elle rosit, puis bleuit,
dans un or plus doux au cœur que le suc d'un fruit... Ne
me plaignez pas, beaux yeux pitoyables, d'évoquer si
vivement ce que je souhaite! Mon souhait vorace crée
ce qui lui manque et s'en repaît. C'est moi qui souris,
charitable, à tes mains oisives, vides de fleurs... Trop tôt,
trop tôt! Nous et l'abeille, et la fleur du pêcher, nous
cherchons trop tôt le printemps...

L'iris dort, roulé en cornet sous une triple soie verdâtre, la pivoine perce la terre d'une raide branche de corail
vif, et le rosier n'ose encore que des surgeons d'un marron
rose, d'une vivante couleur de lombric... Cueille pourtant
la giroflée brune qui devance la tulipe, elle est colorée,
rustaude et vêtue d'un velours solide, comme une terras-
sière... Ne cherche pas le muguet encore; entre deux
valves de feuilles, allongées en coquilles de moules, mystérieusement s'arrondissent ses perles d'un orient vert,
d'où coulera l'odeur souveraine...

Le soleil a marché sur le sable... Un souffle de glace,

qui sent la grêle, monte de l'Est violacé. Les fleurs du
pêcher volent horizontales... Comme j'ai froid! La chatte
siamoise, tout à l'heure morte d'aise sur le mur tiède,
ouvre soudain ses yeux de saphir dans son masque de
velours sombre... Longue, le ventre à ras de terre, elle
rampe vers la maison, en pliant sur sa nuque ses fri-
leuses oreilles... Viens! j'ai peur de ce nuage violet,
liséré de cuivre, qui menace le soleil couchant... Le feu
que tu as allumé tout à l'heure danse dans la chambre,
comme une joyeuse bête prisonnière qui guette notre
retour...

O dernier feu de l'année! Le dernier, le plus beau!
Ta pivoine rose, échevelée, emplit l'âtre d'une gerbe
incessamment refleurie. Inclinons-nous vers lui, tendons-
lui nos mains que sa lueur traverse et ensanglante...
Il n'y a pas, dans notre jardin, une fleur plus belle que lui,
un arbre plus compliqué, une herbe plus mobile, une liane
aussi traîtresse, aussi impérieuse! Restons ici, choyons ce
dieu changeant qui fait danser un sourire en tes yeux
mélancoliques... Tout à l'heure, quand je quitterai ma
robe, tu me verras toute rose, comme une statue peinte.
Je me tiendrai immobile devant lui, et sous la lueur haletante ma peau semblera s'animer, frémir et bouger comme
aux heures où l'amour, d'une aile inévitable, s'abat sur
moi... Restons! Le dernier feu de l'année nous invite au
silence, à la paresse, au tendre repos. J'écoute, la tête sur
ta poitrine, palpiter le vent, les flammes et ton cœur,
cependant qu'à la vitre noire toque incessamment une
branche de pêcher rose, à demi effeuillée, épouvantée et
défaite comme un oiseau sous l'orage...

AMOURS

LE rouge-gorge triompha. Puis, il alla chanter sa victoire
à petits cris secs, invisible au plus épais du marronnier.
Il n'avait pas reculé devant la chatte. Il s'était tenu suspendu dans l'air, un peu au-dessus d'elle, en vibrant comme
une abeille, cependant qu'il lui jetait, par éclats brefs,
des discours intelligibles à qui connaît la manière outre-
cuidante du rouge-gorge, et sa bravoure : "Insensée!
Tremble! Je suis le rouge-gorge! Oui, le rouge-gorge lui-
même! Un pas de plus, un geste vers le nid où couve ma
compagne, et, de ce bec, je te crève les yeux! "

Prête à intervenir, je veillais, mais la chatte sait que
les rouges-gorges sont sacrés, elle sait aussi qu'à tolérer
une attaque d'oiseau, un chat risque le ridicule, — elle
sait tant de choses... Elle battit de la queue comme un
lion, frémit du dos, mais céda la place au frénétique petit
oiseau, et nous reprîmes toutes deux notre promenade
du crépuscule. Promenade lente, agréable, fructueuse;
la chatte découvre, et je m'instruis. Pour dire vrai, elle
semble découvrir. Elle fixe un point dans le vide, tombe
en arrêt devant l'invisible, sursaute à cause du bruit que
je ne perçois pas. Alors, c'est mon tour, et je tâche d'inventer ce qui la tient attentive.

A fréquenter le chat, on ne risque que de s'enrichir.
Serait-ce par calcul que depuis un demi-siècle, je recherche
sa compagnie? Je n'eus jamais à le chercher loin : il naît
sous mes pas. Chat perdu, chat de ferme traqueur et
traqué, maigri d'insomnie, chat de libraire embaumé

d'encre, chats des crémeries et des boucheries, bien
nourris, mais transis, les plantes sur le carrelage; chats
poussifs de la petite bourgeoisie, enflés de mou; heureux
chats despotes qui régnez sur Claude Farrère, sur Paul
Morand, — et sur moi... Tous vous me rencontrez sans
surprise, non sans bonheur. Qu'entre cent chats, elle
témoigne, un jour, en ma faveur, cette chatte errante et
affamée qui se heurtait, en criant, à la foule que dégorge,
le soir, le métro d'Auteuil. Elle me démêla, me reconnut :
"Enfin, toi!... Comme tu as tardé, je n'en puis plus...
Où est ta maison? Va, je te suis... " Elle me suivit, si sûre
de moi que le cœur m'en battait. Ma maison lui fit peur
d'abord, parce que je n'y étais pas seule. Mais elle s'habi-
tua, et y resta quatre ans, jusqu'à sa mort accidentelle.

Loin de moi de vous oublier, chiens chaleureux, meur-
tris de peu, pansés de rien. Comment me passerais-je de
vous? Je vous suis si nécessaire... Vous me faites sentir
le prix que je vaux. Un être existe donc encore, pour qui
je remplace tout? Cela est prodigieux, réconfortant, —
un peu trop facile. Mais, cachons-le cet être aux yeux élo-
quents, cachons-le, dès qu'il subit ses amours saisonnières
et qu'un lien douloureux rive la femelle au mâle... Vite,
un paravent, une bâche, un parasol de plage, — et, par
surcroît, allons-nous-en. Et ne revenons pas de huit jours,
au bout desquels "Il " ne " La " reconnaîtra même pas :
" l'ami de l'homme " est rarement l'ami du chien.

J'en sais plus sur l'attachement qu'il me porte et sur
l'exaltation qu'il y puise, que sur la vie amoureuse du chien.
C'est que je préfère, entre dix races qui ont mon estime,
celle à qui les chances de maternité sont interdites. Il
arrive que la terrière brabançonne, la bouledogue française, — types camards à crâne volumineux, qui péris-
sent souvent en mettant bas, — renoncent d'instinct

aux voluptueux bénéfices semestriels. Deux de mes chiennes bouledogues mordaient les mâles, et ne les acceptaient pour partenaires de jeu qu'en période d'innocence. Une caniche, trop subtile, refusait tous les partis et consolait sa stérilité volontaire en feignant de nourrir un chiot en caoutchouc rouge… Oui, dans ma vie, il y a eu beaucoup de chiens, — mais il y a eu le chat. A l'espèce chat, je suis redevable d'une certaine sorte, honorable, de dissimulation, d'un grand empire sur moi-même, d'une aversion caractérisée pour les sons brutaux, et du besoin de me taire longuement.

Cette chatte, qui vient de poser en "gros premier plan" dans le roman qui porte son nom, la chatte du rouge-gorge, je ne la célèbre qu'avec réserve, qu'avec trouble. Car, si elle m'inspire, je l'obsède. Sans le vouloir, je l'ai attirée hors du monde félin. Elle y retourne au moment des amours, mais le beau matou parisien, l'étalon qui "va en ville", pourvu de son coussin, de son plat de sciure, de ses menus et… de sa facture, que fait de lui ma chatte? Le même emploi que du sauvage essorillé qui passe, aux champs, par le trou de la haie. Un emploi rapide, furieux et plein de mépris. Le hasard unit à des inconnus cette indifférente. De grands cris me parviennent, de guerre et d'amour, cris déchirants comme celui du grand-duc qui annonce l'aube. J'y reconnais la voix de ma chatte, ses insultes, ses feulements, qui mettent toutes choses au point et humilient le vainqueur de rencontre…

A la campagne, elle récupère une partie de sa coquetterie. Elle redevient légère, gaie, infidèle à plusieurs mâles auxquels elle se donne et se reprend sans scrupule. Je me réjouis de voir qu'elle peut encore, par moments, n'être qu'"une chatte" et non plus "la chatte", ce chaleureux, vif et poétique esprit, absorbé dans le fidèle amour qu'elle m'a voué.

Entre les murs d'un étroit jardin d'Ile-de-France, elle s'ébat, elle s'abandonne. Elle se refuse aussi. L'intelligence a soustrait son corps aux communes frénésies. Elle est de glace lorsque ses pareilles brûlent. Mais elle appelait rêveusement l'amour il y a trois semaines sous des nids déjà vides, parmi les chatons nés deux mois plus tôt, et mêlait ses plaintes aux cris des mésangeaux gris. L'amour ne se le fit pas dire deux fois. Vint le vieux conquérant rayé, aux canines démesurées, sec, chauve par places, mais doué d'expérience, d'une décision sans seconde, et respecté même de ses rivaux. Le jeune rayé le suivait de près, tout resplendissant de confiance et de sottise, large du nez, bas du front et beau comme un tigre. Sur la tuile faîtière du mur parut enfin le chat de ferme, coiffé en bandeaux de deux taches grises sur fond blanc sale, avec un air mal éveillé et incrédule : "Rêvé-je? il m'a semblé qu'on me mandait d'urgence… "

Tous trois entrèrent en lice, et je peux dire qu'ils en virent de dures. La chatte eut d'abord cent mains pour les gifler, cent petites mains bleues, véloces, qui s'accrochaient aux toisons rases et à la peau qu'elles couvraient. Puis elle se roula en forme de huit. Puis elle s'assit entre les trois matous et parut les oublier longuement. Puis elle sortit de son rêve hautain pour se percher sur un pilier au chapiteau effrité, d'où sa vertu défiait tous les assaillants. Quand elle daigna descendre, elle dévisagea les trois esclaves avec un étonnement enfantin, souffrit que l'un d'eux, du museau, baisât son museau ravissant et bleu. Le baiser se prolongeant, elle le rompit par un cri impérieux, une sorte d'aboiement de chat, intraduisible, mais auquel les trois mâles répondirent par un saut

de recul. Sur quoi, la chatte entreprit une toilette minu-
tieuse, et les trois ajournés se lamentèrent d'attendre.
Même, ils firent mine de se battre, pour passer le temps,
autour d'une chatte froide et sourde.

Enfin, renonçant aux mensonges et aux jeux, elle se
fit cordiale, s'étira longuement, et, d'un pas de déesse,
rejoignit le commun des mortels.

Je ne restai pas là pour savoir la suite. Encore que la
grâce féline sorte indemne de tous les risques, pourquoi
la soumettre à la suprême épreuve? J'abandonnai la
chatte à ses démons et retournai l'attendre au lieu qu'elle
ne quitte ni de jour ni de nuit quand j'y travaille lentement et avec peine — la table où assidue, muette à miracle,
mais résonnante d'un sourd murmure de félicité, gît,
veille ou repose sous ma lampe la chatte, mon modèle,
la chatte, mon amie.

UN RÊVE

Je rêve. Fond noir enfumé de nues d'un bleu très sombre, sur lequel passent des ornements géométriques auxquels manque toujours un fragment, soit du cercle parfait, soit de leurs trois angles, de leurs spirales rehaussées de feu. Fleurs flottantes sans tiges ou sans feuilles. Jardins inachevés; partout règne l'imperfection du songe, son atmosphère de supplique, d'attente et d'incrédulité.

Point de personnages. — Silence, puis un aboiement triste, étouffé.

Moi, *en sursaut*. — Qui aboie?

UNE CHIENNE. — Moi.

Moi. — Qui, toi? Une chienne?

ELLE. — Non. La chienne.

Moi. — Bien sûr, mais quelle chienne?

ELLE, *avec un gémissement réprimé*. — Il y en a donc une autre? Quand je n'étais pas encore l'ombre que me voici, tu ne m'appelais que "la chienne". Je suis ta chienne morte.

Moi. — Oui... Mais... Quelle chienne morte? Pardonne-moi...

ELLE. — Là je te pardonne, si tu devines : je suis celle qui a mérité de revenir.

Moi, *sans réfléchir*. — Ah! je sais! Tu es Nell, qui tremblait mortellement aux plus subtils signes de départ et de séparation, qui se couchait sur le linge blanc dans le compartiment de la malle et faisait une prière pour devenir blanche, afin que je l'emmenasse sans la voir...

Ah! Nell!... Nous avons bien mérité qu'une nuit enfin
te rappelle du lieu où tu gisais...

*Un silence. Les nues bleu sombre cheminent sur le fond
noir.*

Elle, *d'une voix plus faible.* — Je ne suis pas Nell.

Moi, *pleine de remords.* — Oh! je t'ai blessée?

Elle. — Pas beaucoup. Bien moins qu'autrefois, quand
d'une parole, d'un regard, tu me consternais... Et puis,
tu ne m'as peut-être pas bien entendue : je suis la chienne,
te dis-je...

Moi, *éclairée soudain.* — Oui! Mais oui! la chienne!
Où avais-je la tête? Celle de qui je disais, en entrant :
" La chienne est là? " Comme si tu n'avais pas d'autre
nom, comme si tu ne t'appelais pas Lola... La chienne qui
voyageait avec moi toujours, qui savait de naissance
comment se comporter en wagon, à l'hôtel, dans une
sordide loge de music-hall... Ton museau fin tourné vers
la porte, tu m'attendais... Tu maigrissais de m'attendre...
Donne-le, ton museau fin que je ne peux pas voir! Donne
que je le touche, je reconnaîtrais ton pelage entre cent
autres... (*Un long silence. Quelques-unes des fleurs sans tige
ou sans feuilles s'éteignent.*) Où es-tu? Reste! Lola...

Elle, *d'une voix à peine distincte.* — Hélas!... Je ne suis
pas Lola!

Moi, *baissant aussi la voix.* — Tu pleures?

Elle, *de même.* — Non. Dans le lieu sans couleur où
je n'ai pas cessé de t'attendre, c'en est fini pour moi
des larmes, tu sais, ces larmes pareilles aux pleurs humains,
et qui tremblaient sur mes yeux couleur d'or...

Moi, *l'interrompant.* — D'or? Attends! D'or, cerclés
d'or plus sombre, et pailletés...

Elle, *avec douceur.* — Non, arrête-toi, tu vas encore
me nommer d'un nom que je n'ai jamais entendu. Et

peut-être qu'au loin des ombres de chiennes couchées
tressailliraient de jalousie, se lèveraient, gratteraient le
bas d'une porte qui ne s'ouvre pas cette nuit pour elles.
Ne me cherche plus. Tu ne sauras jamais pourquoi j'ai
mérité de revenir. Ne tâtonne pas, de ta main endormie,
dans l'air noir et bleu qui me baigne, tu ne rencontreras
pas ma robe...

Moi, *anxieuse*. — Ta robe... couleur de froment?

Elle. — Chut! Je n'ai plus de robe. Je ne suis qu'une
ligne, un trait sinueux de phosphore, une palpitation,
une plainte perdue, une quêteuse que la mort n'a pas
mise en repos, le reliquat gémissant, enfin, de la chienne
entre les chiennes, de la chienne...

Moi, *criant*. — Reste! Je sais! Tu es...

*Mais mon cri m'éveille, dissout le bleu et le noir insondables,
les jardins inachevés, crée l'aurore et éparpille, oubliées, les
syllabes du nom que porta sur la terre, parmi les ingrats, la
chienne qui mérita de revenir, la chienne...*

NONOCHE

Le soleil descend derrière les sorbiers, grappés de fruits verts qui tournent çà et là au rose aigre. Le jardin se remet lentement d'une longue journée de chaleur, dont les molles feuilles du tabac demeurent évanouies. Le bleu des aconits a certainement pâli depuis ce matin, mais les reines-claudes, vertes hier sous leur poudre d'argent, ont toutes, ce soir, une joue d'ambre.

L'ombre des pigeons tournoie, énorme, sur le mur tiède de la maison et éveille, d'un coup d'éventail, Nonoche qui dormait dans sa corbeille...

Son poil a senti passer l'ombre d'un oiseau! Elle ne sait pas bien ce qui lui arrive. Elle a ouvert trop vite ses yeux japonais, d'un vert qui met l'eau sous la langue. Elle a l'air bête comme une jeune fille très jolie, et ses taches de chatte portugaise semblent plus en désordre que jamais : un rond orange sur la joue, un bandeau noir sur la tempe, trois points noirs au coin de la bouche, près du nez blanc fleuri de rose... Elle baisse les yeux et la mémoire de toutes choses lui remonte au visage dans un sourire triangulaire; contre elle, noyé en elle, roulé en escargot, sommeille son fils.

" Qu'il est beau! se dit-elle. Et gros! Aucun de mes enfants n'a été si beau. D'ailleurs je ne me souviens plus d'eux... Il me tient chaud. "

Elle s'écarte, creuse le ventre avant de se lever, pour que son fils ne s'éveille pas. Puis elle bombe un dos de dromadaire, s'assied et bâille, en montrant les stries fines d'un palais trois fois taché de noir.

En dépit de nombreuses maternités, Nonoche conserve un air enfantin qui trompe sur son âge. Sa beauté solide restera longtemps jeune, et rien dans sa démarche, dans sa taille svelte et plate, ne révèle qu'elle fut, en quatre portées, dix-huit fois mère. Assise, elle gonfle un jabot éclatant, coloré d'orange, de noir et de blanc comme un plumage d'oiseau rare. L'extrémité de son poil court et fourni brille, s'irise au soleil comme fait l'hermine. Ses oreilles, un peu longues, ajoutent à l'étonnement gracieux de ses yeux inclinés et ses pattes minces, armées de brèves griffes en cimeterre, savent fondre confiantes dans la main amie.

Futile, rêveuse, passionnée, gourmande, caressante, autoritaire, Nonoche rebute le profane et se donne aux seuls initiés qu'a marqués le signe du Chat. Ceux-là même ne la comprennent pas tout de suite et disent : " Quelle bête capricieuse ! " Caprice ? point. Hyperesthésie nerveuse seulement. La joie de Nonoche est tout près des larmes, et il n'y a guère de folle partie de ficelle ou de balle de laine qui ne finisse en petite crise hystérique, avec morsures, griffes et feulements rauques. Mais cette même crise cède sous une caresse bien placée, et parce qu'une main adroite aura effleuré ses petites mamelles sensibles, Nonoche furibonde s'effondrera sur le flanc, plus molle qu'une peau de lapin, toute trépidante d'un ronron cristallin qu'elle file trop aigu et qui parfois la fait tousser...

" Qu'il est beau ! " se dit-elle en contemplant son fils. " La corbeille devient trop petite pour nous deux. C'est un peu ridicule, un enfant si grand qui tette encore. Il tette avec des dents pointues maintenant... Il sait boire à la soucoupe, il sait rugir à l'odeur de la viande crue, il gratte à mon exemple la sciure du plat, d'une manière anxieuse et précipitée où je me retrouve toute... Je ne vois plus rien à faire pour lui, sauf de le sevrer. Comme il abîme ma troisième mamelle de droite! C'est une pitié. Le poil de mon ventre, tout autour, ressemble à un champ de seigle versé sous la pluie! Mais quoi? quand ce grand petit se jette sur mon ventre, les yeux clos comme un nouveau-né, quand il arrange en gouttière autour de la tétine sa langue devenue trop large... qu'il me pille et me morde et me boive, je n'ai pas la force de l'en empêcher! "

Le fils de Nonoche dort dans sa robe rayée, pattes mortes et gorge à la renverse. On peut voir sous la lèvre relevée un bout de langue, rouge d'avoir tété, et quatre petites dents très dures, taillées dans un silex transparent

Nonoche soupire, bâille et enjambe son fils avec précaution pour sortir de la corbeille. La tiédeur du perron est agréable aux pattes. Une libellule grésille dans l'air, et ses ailes de gaze rêche frôlent par bravade les oreilles de Nonoche qui frémit, fronce les sourcils et menace du regard la bête au long corps en mosaïque de turquoises...

Les montagnes bleuissent. Le fond de la vallée s'enfume d'un brouillard blanc qui s'effile, se balance et s'étale comme une onde. Une haleine fraîche monte déjà de ce lac impalpable, et le nez de Nonoche s'avive et s'humecte. Au loin, une voix connue crie infatigablement, aiguë et monotone : "Allons-v'nez — allons-v'nez — allons-v'nez... mes vaches! Allons-v'nez — allons-v'nez... " Des clarines sonnent, le vent porte une paisible odeur d'étable, et Nonoche pense au seau de la traite, au seau vide dont elle léchera la couronne d'écume collée aux bords... Un miaulement de convoitise et de désœuvrement lui échappe. Elle s'ennuie. Depuis quelque temps, chaque crépuscule ramène cette mélancolie agacée, ce vide et vague désir... Un peu de toilette? "Comme je suis faite!" Et la cuisse en l'air, Nonoche copie cette classique figure de chahut qu'on appelle "le port d'armes".

La première chauve-souris nage en zigzag dans l'air. Elle vole bas et Nonoche peut distinguer deux yeux de rat, le velours roux du ventre en figue... C'est encore une de ces bêtes où on ne comprend rien et dont la conformation inspire une inquiétude méprisante. Par association d'idées, Nonoche pense au hérisson, à la tortue, ces énigmes, et passe sur son oreille une patte humide de salive, insoucieuse de présager la pluie pour demain.

Mais quelque chose arrête court son geste, quelque chose oriente en avant ses oreilles, noircit le vert acide de ses prunelles...

Du fond du bois où la nuit massive est descendue d'un bloc, par-dessus l'or immobile des treilles, à travers tous les bruits familiers, n'a-t-elle pas entendu venir jusqu'à elle, traînant, sauvage, musical, insidieux, — l'Appel du Matou?

Elle écoute... Plus rien. Elle s'est trompée... Non! L'appel retentit de nouveau, lointain, rauque et mélancolique à faire pleurer, reconnaissable entre tous. Le cou tendu, Nonoche semble une statue de chatte, et ses moustaches seules remuent faiblement, au battement de ses narines. D'où vient-il, le tentateur? Qu'ose-t-il demander et promettre? Il multiplie ses appels, il les module, se fait tendre, menaçant, il se rapproche et pourtant reste invisible; sa voix s'exhale du bois noir, comme la voix même de l'ombre...

"Viens!... Viens!... Si tu ne viens pas ton repos est perdu. Cette heure-ci n'est que la première, mais songe que toutes les heures qui suivront seront pareilles à celle-ci, emplies de ma voix, messagères de mon désir... Viens!...

"Tu le sais, tu le sais que je puis me lamenter durant des nuits entières, que je ne boirai plus, que je ne mangerai plus, car mon désir suffit à ma vie et je me fortifie d'amour! Viens!...

"Tu ne connais pas mon visage et qu'importe! Avec orgueil, je t'apprends qui je suis : je suis le long Matou déguenillé par dix étés, durci par dix hivers. Une de mes pattes boite en souvenir d'une vieille blessure, mes narines balafrées grimacent et je n'ai plus qu'une oreille, festonnée par la dent de mes rivaux.

"A force de coucher sur la terre, la terre m'a donné sa couleur. J'ai tant rôdé que mes pattes semellées de corne sonnent sur le sentier comme le sabot du chevreuil. Je marche à la manière des loups, le train de derrière bas, suivi d'un tronçon de queue presque chauve... Mes flancs vides se touchent et ma peau glisse autour de mes muscles secs, entraînés au rapt et au viol... Et toute cette laideur me fait pareil à l'Amour! Viens!... Quand je paraîtrai à tes yeux, tu ne reconnaîtras rien de moi, — que l'Amour!

"Mes dents courberont ta nuque rétive, je souillerai ta robe, je t'infligerai autant de morsures que de caresses, j'abolirai en toi le souvenir de ta demeure et tu seras, pendant des jours et des nuits, ma sauvage compagne hurlante... jusqu'à l'heure plus noire où tu te retrouveras seule, car j'aurai fui mystérieusement, las de toi, appelé par celle que je ne connais pas, celle que je n'ai pas possédée encore... Alors tu retourneras vers ton gîte, affamée, humble, vêtue de boue, les yeux pâles, l'échine creusée comme si ton fruit y pesait déjà, et tu te réfugieras dans un long sommeil tressaillant de rêves où ressuscitera notre amour... Viens!... ”

Nonoche écoute. Rien dans son attitude ne décèle qu'elle lutte contre elle-même, car le tentateur pourrait la voir à travers l'ombre, et le mensonge eſt la première parure d'une amoureuse... Elle écoute, rien de plus...

Dans sa corbeille, l'obscurité éveille peu à peu son fils qui se déroule, chenille velue, et tend des pattes tâtonnantes... Il se dresse, maladroit, s'assied plus large que haut, avec une majeſté puérile. Le bleu hésitant de ses yeux, qui seront peut-être verts, peut-être vieil or, se trouble d'inquiétude. Il dilate, pour mieux crier, son nez chamois où aboutissent toutes les rayures convergentes de son visage... Mais il se tait, malicieux et rassuré : il a vu le dos bigarré de sa mère, assise sur le perron.

Debout sur ses quatre pattes courtaudes, fidèle à la tradition qui lui enseigna cette danse barbare, il s'approche les oreilles renversées, le dos bossu, l'épaule de biais, par petits bonds de joujou terrible, et fond sur Nonoche qui ne s'y attendait pas... La bonne farce! Elle en a presque crié. On va sûrement jouer comme des fous jusqu'au dîner.

Mais un revers de patte nerveux a jeté l'assaillant au bas du perron, et maintenant une grêle de tapes sèches s'abat sur lui, commentées de fauves crachements et de regards en furie!... La tête bourdonnante, poudré de sable, le fils de Nonoche se relève, si étonné qu'il n'ose pas demander pourquoi, ni suivre celle qui ne sera plus jamais sa nourrice et qui s'en va très digne, le long de la petite allée noire, vers le bois hanté...

*Un petit intérieur tranquille. A la cantonade, bruits de cata-
clysme. Kiki-la-Doucette, chat des Chartreux, se cram-
ponne vainement à un somme illusoire. Une porte s'ouvre et
claque sous une main invisible, après avoir livré passage à
Toby-Chien, petit bull démoralisé.*

Kiki-la-Doucette, *s'étirant.* — Ah! ah! qu'est-ce
que tu as encore fait?

Toby-Chien, *piteux.* — Rien.

Kiki-la-Doucette. — A d'autres! Avec cette tête-là?
Et ces rumeurs de catastrophe?

Toby-Chien. — Rien, te dis-je! Plût au Ciel! Tu me
croiras si tu veux, mais je préférerais avoir cassé un vase,
ou mangé le petit tapis persan auquel Elle tient si fort.
Je ne comprends pas. Je tâtonne dans les ténèbres. Je...

Kiki-la-Doucette, *royal.* — Cœur faible! Regarde-
moi. Comme du haut d'un astre, je considère ce bas
monde. Imite ma sérénité divine...

Toby-Chien, *interrompant, ironique.* — ... et enferme-toi
dans le cercle magique de ta queue, n'est-ce pas? Je n'ai
pas de queue, moi, ou si peu! Et jamais je ne me sentis
le derrière si serré.

Kiki-la-Doucette, *intéressé, mais qui feint l'indifférence.*
— Raconte.

Toby-Chien. — Voilà. Nous étions bien tranquilles,
Elle et moi, dans le cabinet de travail. Elle lisait des
lettres, des journaux, et ces rognures collées qu'Elle

nomme pompeusement l'Argus de la Presse, quand
tout à coup : " Zut! s'écria-t-Elle. Et même crotte de
bique! " Et sous son poing asséné la table vibra, les
papiers volèrent... Elle se leva, marcha de la fenêtre à la
porte, se mordit un doigt, se gratta la tête, se frotta rude-
ment le bout du nez.

J'avais soulevé du front le tapis de la table et mon
regard cherchait le sien... " Ah! te voilà ", ricana-t-elle.
" Naturellement, te voilà. Tu as le sens des situations.
C'est bien le moment de te coiffer à l'orientale avec une
draperie turque sur le crâne et des franges-boule qui
retombent, des franges-boule, — des franges-bull, par-
bleu! Ce chien fait des calembours, à présent! il ne me
manquait que ça! " D'une chiquenaude, Elle rejeta le
bord du tapis qui me coiffait, puis leva vers le plafond
des bras pathétiques : " J'en ai assez! " s'écria-t-Elle.
" Je veux... je veux... je veux faire ce que je veux! "

Un silence effrayant suivit son cri, mais je lui répondais
du fond de mon âme : " Qui T'en empêche, ô Toi qui
règnes sur ma vie, Toi qui peux presque tout, Toi qui,
d'un plissement volontaire de tes sourcils, rapproches
dans le ciel les nuages? "

Elle sembla m'entendre et repartit un peu plus calme :
" Je veux faire ce que je veux. Je veux jouer la pantomime,
même la comédie. Je veux danser nue, si le maillot me
gêne et humilie ma plastique. Je veux me retirer dans une
île, s'il me plaît, ou fréquenter des dames qui vivent de
leurs charmes, pourvu qu'elles soient gaies, fantasques,
voire mélancoliques et sages, comme sont beaucoup de
femmes de joie. Je veux écrire des livres tristes et chastes,
où il n'y aura que des paysages, des fleurs, du chagrin,
de la fierté, et la candeur des animaux charmants qui
s'effraient de l'homme... Je veux sourire à tous les visages

aimables, et m'écarter des gens laids, sales et qui sentent
mauvais. Je veux chérir qui m'aime et lui donner tout
ce qui est à moi dans le monde : mon corps rebelle au
partage, mon cœur si doux et ma liberté! Je veux... je
veux!... Je crois bien que si quelqu'un, ce soir, se risquait
à me dire : " Mais, enfin, ma chère... " eh bien, je le tue...
Ou je lui ôte un œil. Ou je le mets dans la cave.

Kiki-la-Doucette, *pour lui-même*. — Dans la cave?
Je considérerais cela comme une récompense, car la cave
est un enviable séjour, d'une obscurité bleutée par le
soupirail, embaumé de paille moisie et de l'odeur alliacée
du rat...

Toby-Chien, *sans entendre*. — " J'en ai assez, vous
dis-je! " (Elle criait cela à des personnes invisibles, et
moi, pauvre moi, je tremblais sous la table.) " Et je ne
verrai plus ces tortues-là! "

Kiki-la-Doucette. — Ces... quoi?

Toby-Chien. — Ces tortues-là; je suis sûr du mot.
Quelles tortues? Elle nous cache tant de choses! " ... Ces
tortues-là! Elles sont deux, trois, quatre, — joli nid de
fauvettes! — pendues à Lui, et qui Lui roucoulent et
Lui écrivent : " Mon chéri, tu m'épouseras si Elle meurt,
dis? " Je crois bien! Il les épouse déjà, l'une après l'autre.
Il pourrait choisir. Il préfère collectionner. Il lui faut —
car elles en demandent! — la Femme-du-Monde coupe-
rosée qui s'occupe de musique et qui fait des fautes
d'orthographe, la vierge mûre qui lui écrit, d'une main
paisible de comptable, les mille z'horreurs; — l'Améri-
caine brune aux cuisses plates; et toute la séquelle des
sacrées petites toquées en cols plats et cheveux courts
qui s'en viennent, cils baissés et reins frétillants : " O
Monsieur, c'est moi qui suis la vraie Claudine... " La
vraie Claudine! et la fausse mineure, tu parles!

"Toutes, elles souhaitent ma mort, m'inventent des amants; elles l'entourent de leur ronde effrénée, Lui faible, lui, volage et amoureux de l'amour qu'Il inspire, Lui qui goûte si fort ce jeu de se sentir empêtré dans cent petits doigts crochus de femmes... Il a délivré en chacune la petite bête mauvaise et sans scrupules, matée — si peu! — par l'éducation; elles ont menti, forniqué, cocufié, avec une joie et une fureur de harpies, autant par haine de moi que pour l'amour de Lui...

"Alors... adieu tout! adieu... presque tout. Je Le leur laisse. Peut-être qu'un jour Il les verra comme je les vois, avec leurs visages de petites truies gloutonnes. Il s'enfuira, effrayé, frémissant, dégoûté d'un vice inutile... "

Je haletais autant qu'Elle, ému de sa violence. Elle entendit ma respiration et se jeta à quatre pattes, sa tête sous le tapis de la table, contre la mienne...

"Oui, inutile! je maintiens le mot. Ce n'est pas un petit bull carré qui me fera changer d'avis, encore! Inutile s'Il n'aime pas assez ou s'Il méconnaît l'amour véritable! Quoi?... ma vie aussi est inutile? Non, Toby-Chien. Moi, j'aime. J'aime tant tout ce que j'aime! Si tu savais comme j'embellis tout ce que j'aime, et quel plaisir je me donne en aimant! Si tu pouvais comprendre de quelle force et de quelle défaillance m'emplit ce que j'aime!... C'est cela que je nomme le frôlement du bonheur. Le frôlement du bonheur... caresse impalpable qui creuse le long de mon dos un sillon velouté, comme le bout d'une aile creuse l'onde... Frisson mystérieux prêt à se fondre en larmes, angoisse légère que je cherche et qui m'atteint devant un cher paysage argenté de brouillard, devant un ciel où fleurit l'aube, sous le bois où l'automne souffle une haleine mûre et musquée... Tristesse volup-tueuse des fins de jour, bondissement sans cause d'un

cœur plus mobile que celui du chevreuil, tu es le frôlement même du bonheur, toi qui gis au sein des heures les
plus pleines... et jusqu'au fond du regard de ma sûre amie...

"Tu oserais dire ma vie *inutile*?... Tu n'auras pas de
pâtée, ce soir! "

Je voyais la brume de ses cheveux danser autour de sa
tête qu'Elle hochait furieusement. Elle était comme moi
à quatre pattes, aplatie, comme un chien qui va s'élancer,
et j'espérai un peu qu'elle aboierait...

Kiki-la-Doucette, *révolté*. — Aboyer, Elle! Elle a
ses défauts, mais tout de même, aboyer!... Si Elle devait
parler en quatre-pattes, elle miaulerait.

Toby-Chien, *poursuivant*. — Elle n'aboya point, en
effet. Elle se redressa d'un bond, rejeta en arrière les
cheveux qui lui balayaient le visage...

Kiki-la-Doucette. — Oui, Elle a la tête angora.
La tête seulement.

Toby-Chien. — ... Et Elle se remit à parler, incohé-
rente : "Alors, voilà! je veux faire ce que je veux. Je
ne porterai pas des manches courtes en hiver, ni de cols
hauts en été. Je ne mettrai pas mes chapeaux sens devant
derrière, et je n'irai plus prendre le thé chez Rimmels's,
non... Redelsperger, non... Chose, enfin. Et je n'irai
plus aux vernissages. Parce qu'on y marche dans un tas
de gens, l'après-midi, et que les matins y sont sinistres,
sous ces voûtes où frissonne un peuple nu et transi de
statues, parmi l'odeur de cave et de plâtre frais... C'est
l'heure où quelques femmes y toussent, vêtues de robes
minces, et de rares hommes errent, avec la mine verte
d'avoir passé la nuit là, sans gîte et sans lit...

"Et le monotone public des premières ne verra plus
mon sourire abattu, mes yeux qui se creusent de la lon-
gueur des entractes et de l'effort qu'il faut pour empêcher

mon visage de vieillir, — effort reflété par cent visages
féminins, raidis de fatigue et d'orgueil défensif... Tu
m'entends ", s'écria-t-Elle, " tu m'entends, crapaud
bringé, excessif petit bull cardiaque! je n'irai plus aux
premières, — sinon de l'autre côté de la rampe. Car je
danserai encore sur la scène, je danserai nue ou habillée,
pour le seul plaisir de danser, d'accorder mes gestes au
rythme de la musique, de virer, brûlée de lumière, aveu-
glée comme une mouche dans un rayon... Je danserai,
j'inventerai de belles danses lentes où le voile parfois me
couvrira, parfois m'environnera comme une spirale de
fumée, parfois se tendra derrière ma course comme
la toile d'une barque... Je serai la statue, le vase animé,
la bête bondissante, l'arbre balancé, l'esclave ivre...

" Qui donc a osé murmurer, trop près de mon oreille
irritable, les mots de déchéance, d'avilissement?... Toby-
Chien, Chien de bon sens, écoute bien : je ne me suis
jamais sentie plus digne de moi-même! Du fond de la
sévère retraite que je me suis faite au fond de moi, il
m'arrive de rire tout haut, réveillée par la voix cordiale
d'un maître de ballet italien : " Hé, ma minionne, qu'est-
ce que tu penses? je te dis : sauts de basque, deux! et
un petit pour finir!... "

" La familiarité professionnelle de ce luisant méridional ne me blesse point, ni l'amicale veulerie d'une
pauvre petite marcheuse à cinquante francs par mois,
qui se lamente, résignée : " Nous autres artistes, n'est-ce
pas, on ne fait pas toujours comme on veut... " et si le
régisseur tourne vers moi, au cours d'une répétition, son
mufle de dogue bonasse, en graillonnant : " C'est malheureux que vous ne pouvez pas taire vos gueules, tous... "
je ne songe pas à me fâcher, pourvu qu'au retour, lorsque
je jette à la volée mon chapeau sur le lit, une voix chère,

un peu voilée, murmure : " Vous n'êtes pas trop fatiguée, mon amour?... "

Sa voix à Elle avait molli sur ces mots. Elle répéta, comme pour Elle-même, avec un sourire contenu : " Vous n'êtes pas trop fatiguée, mon amour? " puis soudain éclata en larmes nerveuses, des larmes vives, rondes, pressées, en gouttes étincelantes qui sautaient sur ses joues, joyeusement... Mais moi, tu sais, quand Elle pleure, je sens la vie me quitter...

KIKI-LA-DOUCETTE. — Je sais, tu t'es mis à hurler?

TOBY-CHIEN. — Je mêlai mes larmes aux siennes, voilà tout. Mal m'en prit! Elle me saisit par la peau du dos, comme une petite valise carrée, et de froides injures tombèrent sur ma tête innocente : " Mal élevé. Chien hystérique. Saucisson larmoyeur. Crapaud à cœur de veau. Phoque obtus... " Tu sais le reste. Tu as entendu la porte; le tisonnier qu'elle a jeté dans la corbeille à papiers, et le seau à charbon qui a roulé béant, et tout...

KIKI-LA-DOUCETTE. — J'ai entendu. J'ai même entendu, ô Chien, ce qui n'est pas parvenu à ton entendement de bull simplet. Ne cherche pas. Elle et moi, nous dédaignons le plus souvent de nous expliquer. Il m'arrive, lorsqu'une main inexperte me caresse à rebours, d'interrompre un paisible et sincère ronron par un khh! féroce, suivi d'un coup de griffe foudroyant comme une étincelle... " Que ce chat est traître! " s'écrie l'imbécile... Il n'a vu que la griffe, il n'a pas deviné l'exaspération nerveuse, ni la souffrance aiguë qui lancine la peau de mon dos... Quand Elle agit follement, Elle, ne dis pas, en haussant tes épaules carrées : " Elle est folle! " Plutôt, cherche la main maladroite, la piqûre insupportable et cachée qui se manifeste en cris, en rires, en course aveugle vers tous les risques...

DIALOGUE DE BÊTES

A la campagne, l'été. Elle somnole, sur une chaise longue de rotin. Ses deux amis, Toby-Chien le bull, Kiki-la-Doucette le chat, jonchent le sable...

TOBY-CHIEN, *bâillant.* — Aaah!... ah!...

KIKI-LA-DOUCETTE, *réveillé.* — Quoi?

TOBY-CHIEN. — Rien. Je ne sais pas ce que j'ai. Je bâille.

KIKI-LA-DOUCETTE. — Mal à l'estomac?

TOBY-CHIEN. — Non. Depuis une semaine que nous sommes ici, il me manque quelque chose. Je crois que je n'aime plus la campagne.

KIKI-LA-DOUCETTE. — Tu n'as jamais aimé réellement la campagne. Asnières et Bois-Colombes bornent tes désirs ruraux. Tu es né banlieusard.

TOBY-CHIEN, *qui n'écoute pas.* — L'oisiveté me pèse. Je voudrais travailler!

KIKI-LA-DOUCETTE, *continuant.* — ... Banlieusard, dis-je, et mégalomane. Travailler! O Phtah, tu l'entends, ce chien inutile. Travailler!

TOBY-CHIEN, *noble.* — Tu peux rire. Pendant six semaines, j'ai gagné ma vie, aux Folies-Elyséennes, avec Elle.

KIKI-LA-DOUCETTE. — Elle... c'est différent. Elle fait ce qui lui plaît. Elle est têtue, dispersée, extravagante... Mais toi! Toi le brouillon, l'indécis, toi, le happeur de vide, le...

TOBY-CHIEN, *théâtral.* — Vous n'avez pas autre chose à me dire?

KIKI-LA-DOUCETTE, *qui ignore Rostand.* — Si, certainement!

TOBY-CHIEN, *rogue*. — Eh bien, rentre-le. Et laisse-moi tout à mon cuisant regret, à mes aspirations vers une vie active, vers ma vie du mois passé. Ah! les belles soirées! ah! mes succès! ah! l'odeur du sous-sol aux Folies-Elyséennes! Cette longue cave divisée en cabines exiguës, comme un rayon de ruche laborieuse et peuplée de mille petites ouvrières qui se hâtent, en travesti bleu brodé d'or, un dard inoffensif au flanc, coiffées de plumes écumeuses... Je revois encore, éblouissant, ce tableau de *l'Entente cordiale* où défilait une armée de généraux aux cuisses rondes... Hélas, hélas...

KIKI-LA-DOUCETTE, *à part*. — Toby-Chien, c'est le Brichanteau du music-hall.

TOBY-CHIEN, *qui s'attendrit*. — C'est à cette heure émouvante du défilé que nous arrivions, Elle et moi. Elle s'enfermait, abeille pressée, dans sa cellule, et commençait de se peindre le visage afin de ressembler aux beaux petits généraux qui, au-dessus de nos têtes, martelaient la scène d'un talon indécis. J'attendais. J'attendais que, gainée d'un maillot couleur de hanneton doré, Elle rouvrît sa cellule sur le fiévreux corridor...

Couché sur mon coussin, je haletais un peu, en écoutant le bruit de la ruche. J'entendais les pieds pesants des guerriers mérovingiens, ces êtres terribles, casqués de fer et d'ailes de hiboux, qui surgissaient au dernier tableau, sous le chêne sacré... Ils étaient armés d'arbres déracinés, moustachus d'étoupe blonde, — et ils chantaient, attends... cette si jolie valse lente!

> Dès que l'aurore au lointain paraît,
> Chacun s'empresse dans la forêt
> Aux joies exquises de la chasse
> Dont jamais on ne se lasse!...

Ils se rassemblaient pour y tuer

> ...au fond des bois
> Des ribambelles
> De gazelles
> Et de dix-cors aux abois...

KIKI-LA-DOUCETTE, *à part*. — Poésie, poésie!...

TOBY-CHIEN. — Adieu, tout cela! Adieu, ma scintillante amie, Madame Bariol-Taugé! Vous m'apparûtes plus belle qu'une armée rangée en bataille, et mon cœur chauvin, mon cœur de bull bien français gonfle, au souvenir des strophes enflammées dont vous glorifiâtes l'Entente cordiale!... Crête rose, ceinture bleue, robe blanche, vous étiez telle qu'une belle poule gauloise, et pourtant vous demeuriez

> La Parisienne, astre vermeil,
> Apportant son rayon de soleil!
> La Parisienne, la v'là!
> Pour cha-a-sser le spleen
> Aussitôt qu'elle est là
> Tous les cœurs s'illuminent!

KIKI-LA-DOUCETTE, *intéressé*. — De qui sont ces vers?

TOBY-CHIEN. — Je ne sais pas. Mais leur rythme impérieux rouvre en moi des sources d'amertume. J'attendais l'heure où les Elysées-Girls, maigres, affamées et joueuses, redescendraient de leur Olympe pour me serrer, l'une après l'autre, sur leurs gorges plates et dures, me laissant suffoqué, béat, le poil marbré de plaques roses et blanches... J'attendais, le cœur secoué, l'instant enfin où Elle monterait à son tour, indifférente, farouchement masquée d'une gaîté impénétrable, vers le plateau, vers la fournaise de lumière qui m'enivrait... Ecoute, Chat, j'ai vu, de ma vie, bien des choses...

KIKI-LA-DOUCETTE, *à part, apitoyé.* — C'est qu'il le croit.

TOBY-CHIEN. — ... Mais rien n'égale, dans l'album de mes souvenirs, cette salle des Folies-Elyséennes, où chacun espérait ma venue, où l'on m'accueillait par une rumeur de bravos et de rires!!! Modeste — et d'ailleurs myope — j'allais droit à cet être étrange, tête sans corps, chuchoteur, qui vit dans un trou, tout au bord de la scène. Bien que j'en eusse fait mon ami, je m'étonnais tous les soirs de sa monstruosité, et je dardais sur lui mes yeux saillants de homard... Mon second salut était pour cette frétillante créature qu'on nommait Carnac et qui semblait la maîtresse du lieu, accueillant tous les arrivants du même sourire à dents blanches, du même "ah! " de bienvenue. Elle me plaisait entre toutes. Hors de la scène, sa jeune bouche fardée jetait, dans un rire éclatant, des mots qui me semblaient plus frais que des fleurs mouillées : "Bougre d'em...poté, sacré petit mac... Vieux chameau d'habilleuse, elle m'a foutu entre les jambes une tirette qui me coupe le... " j'ai oublié le reste. Après que j'avais, d'une langue courtoise, léché les doigts menus de cette enfant délicate, je courais de l'une à l'autre avant-scène, pressé de choisir les bonbons qu'on me tendait, minaudant pour celle-ci, aboyant pour celui-là...

KIKI-LA-DOUCETTE, *à part.* — Cabotin, va!

TOBY-CHIEN. — ... Et puis-je oublier l'heure que je passai dans l'avant-scène de droite, au creux d'un giron de mousseline et de paillettes, bercé contre une gorge abondante où pendaient des colliers?... Mais Elle troubla trop tôt ma joie et vint, ayant dit et chanté, me pêcher par la peau de la nuque, me reprendre aux douces mains gantées qui voulaient me retenir... Cette heure merveil-

leuse finit dans le ridicule, car Elle me brandit aux yeux
d'un public égayé, en criant : " Voilà, Mesdames et
Messieurs! le sale cabot qui *fait* les avant-scènes! " Elle
riait aussi, la bouche ironique et les yeux lointains, avec
cet air agressif et gai qui sert de masque à sa vraie figure,
tu sais?

KIKI-LA-DOUCETTE, *bref*. — Je sais.

TOBY-CHIEN, *poursuivant*. — Nous descendions, après,
vers sa cellule lumineuse où Elle essuyait son visage de
couleur, la gomme bleue de ses cils...

Elle... (*la regardant endormie*). Elle eſt là, étendue. Elle
sommeille. Elle semble ne rien regretter. Il y a sur son
visage un air heureux de détente et d'arrivée. Pourtant,
quand Elle rêve de longues heures, la tête sur son bras
plié, je me demande si Elle n'évoque pas, comme moi,
ces soirs lumineux de printemps parisien, tout enguir-
landés de perles électriques?... C'eſt peut-être cela qui
brille au plus profond de ses yeux?...

KIKI-LA-DOUCETTE. — Non. Je sais, moi. Elle m'a
parlé!

TOBY-CHIEN, *jaloux*. — A moi aussi, Elle me parle.

KIKI-LA-DOUCETTE. — Pas de la même manière.
Elle te parle de la température, de la tartine qu'elle mange,
de l'oiseau qui vient de s'envoler. Elle te dit : " Viens
ici. Gare à ton derrière. Tu es beau. Tu es laid. Tu es mon
crapaud bringé, ma sympathique grenouille. Je te défends
de manger ce crottin sec... "

TOBY-CHIEN. — C'eſt déjà très gentil, tu ne trouves pas?

KIKI-LA-DOUCETTE. — Très gentil. Mais nos confi-
dences, d'Elle à moi, de moi à Elle, sont d'autre sorte.
Depuis que nous sommes ici, Elle s'eſt confiée, presque
sans paroles, à mon inſtinct divinateur. Elle se délecte
d'une triſtesse et d'une solitude plus savoureuses que le

bonheur. Elle ne se lasse pas de regarder changer la couleur des heures. Elle erre beaucoup, mais pas loin, et son activité piétine sur ces dix hectares bornés de murs en ruines. Tu la vois parfois debout sur la cime de notre montagne, sculptée dans sa robe par le vent amoureux, les cheveux tour à tour droits et couchés comme les épis de seigle, et pareille à un petit génie de l'Aventure?... Ne t'en émeus pas. Son regard ne défie pas l'espace, il y cherche, il y menace seulement l'intrus en marche vers sa demeure, l'assaillant de sa retraite... dirai-je sentimentale?

TOBY-CHIEN. — Dis-le.

KIKI-LA-DOUCETTE. — Elle n'aime point l'inconnu, et ne chérit sans trouble que ce lieu ancien, retiré, ce seuil usé par ses pas enfantins, ce parc triste dont son cœur connaît tous les aspects. Tu la crois assise là, près de nous? Elle est assise en même temps sur la roche tiède, au revers de la combe, et aussi sur la branche odorante et basse du pin argenté... Tu crois qu'elle dort? elle cueille en ce moment, au potager, la fraise blanche qui sent la fourmi écrasée. Elle respire, sous la tonnelle de roses, l'odeur orientale et comestible de mille roses vineuses, mûres en un seul jour de soleil. Ainsi immobile et les yeux clos, elle habite chaque pelouse, chaque arbre, chaque fleur, — elle se penche à la fois, fantôme bleu comme l'air, à toutes les fenêtres de sa maison chevelue de vigne... Son esprit court, comme un sang subtil, le long des veines de toutes les feuilles, se caresse au velours des géraniums, à la cerise vernie, et s'enroule à la couleuvre poudrée de poussière, au creux du sentier jaune... C'est pourquoi tu la vois si sage et les yeux clos, car ses mains pendantes, qui semblent vides, possèdent et égrènent tous les instants d'or de ce beau jour lent et pur.

MAQUILLAGES

— A ton âge, si j'avais mis de la poudre et du rouge aux lèvres, et de la gomme aux cils, que m'aurait dit ma mère? Tu crois que c'est joli, ce bariolage, ce... ce masque de carnaval, ces... ces exagérations qui te vieillissent?

Ma fille ne répond rien. Ainsi j'attendais, à son âge, que ma mère eût fini son sermon. Dans son mutisme seul, je peux deviner une certaine irrévérence, car un œil de jeune fille, lustré, vif, rétréci entre des cils courbes comme les épines du rosier, est aisément indéchiffrable. Il suffirait, d'ailleurs, qu'elle en appelât à ma loyauté, qu'elle me questionnât d'une manière directe : " Franchement, tu trouves ça laid? Tu me trouves laide? "

Et je rendrais les armes. Mais elle se tait finement et laisse tomber " dans le froid " mon couplet sur le respect qu'on doit à la beauté adolescente. J'ajoute même, pendant que j'y suis, quelque chose sur " les convenances ", et, pour terminer, j'invoque les merveilles de la nature, la corolle, la pulpe, exemples éternels, — imagine-t-on la rose fardée, la cerise peinte?...

Mais le temps est loin où d'aigrelettes jeunes filles, en province, trempaient en cachette leurs doigts dans la jarre à farine, écrasaient sur leurs lèvres les pétales de géranium, et recueillaient, sous une assiette qu'avait léchée la flamme d'une bougie, un noir de fumée aussi noir que leur petite âme ténébreuse...

Qu'elles sont adroites, nos filles d'aujourd'hui! La joue ombrée, plus brune que rose, un fard insaisissable,

comblant, bleuâtre ou gris, ou vert sourd, l'orbite; les
cils en épingles et la bouche éclatante, elles n'ont peur
de rien. Elles sont beaucoup mieux maquillées que leurs
aînées. Car souvent la femme de trente à quarante ans
hésite : " Aurai-je trente ans, ou quarante? Ou vingt-cinq?
Appellerai-je à mon secours les couleurs de la fleur, celles
du fruit? " C'est l'âge des essais, des tâtonnements, des
erreurs, et du désarroi qui jette les femmes d'un " institut "
à une " académie ", du massage à la piqûre, de l'acide à
l'onctueux, et de l'inquiétude au désespoir.

Dieu merci, elles reprennent courage, plus tard. Depuis
que je soigne et maquille mes contemporaines, je n'ai pas
encore rencontré une femme de cinquante ans qui fût
découragée, ni une sexagénaire neurasthénique. C'est
parmi ces championnes qu'il fait bon tenter — et réaliser
— des miracles de maquillage. Où sont les rouges d'antan et
leur âpreté de groseille, les blancs ingrats, les bleus-
enfant-de-Marie? Nous détenons des gammes à enivrer
un peintre. L'art d'accommoder les visages, l'industrie
qui fabrique les fards, remuent presque autant de millions
que la cinématographie. Plus l'époque est dure à la femme,
plus la femme, fièrement, s'obstine à cacher qu'elle en
pâtit. Des métiers écrasants arrachent à son bref repos,
avant le jour, celle qu'on nommait " frêle créature ".
Héroïquement dissimulée sous son fard mandarine, l'œil
agrandi, une petite bouche rouge peinte sur sa bouche
pâle, la femme récupère, grâce à son mensonge quotidien, une quotidienne dose d'endurance, et la fierté de
n'avouer jamais...

Je n'ai jamais donné autant d'estime à la femme,
autant d'admiration que depuis que je la vois de tout près,
depuis que je tiens, renversé sous le rayon bleu métallique,
son visage sans secrets, riche d'expression, varié sous

ses rides agiles, ou nouveau et rafraîchi d'avoir quitté un moment sa couleur étrangère. O lutteuses! C'est de lutter que vous restez jeunes. Je fais de mon mieux, mais comme vous m'aidez! Lorsque certaines d'entre vous me chuchotent leur âge véritable, je reste éblouie. L'une s'élance vers mon petit laboratoire comme à une barricade. Elle est mordante, populacière, superbe :

— Au boulot! Au boulot! s'écrie-t-elle. J'ai une vente difficile. S'agit d'avoir trente ans, aujourd'hui — et toute la journée!

De son valeureux optimisme, il arrive que je passe, le temps d'écarter un rideau, à l'une de ces furtives jeunes filles qui ont, du lévrier, le ventre creux, l'œil réticent et velouté, et qui parlent peu, mais parcourent, d'un doigt expert, le clavier des fards :

— Celui-là... Et celui-là... Et puis le truc à z'yeux... Et la poudre foncée... Ah! Et puis...

C'est moi qui les arrête :

— Et qu'ajouterez-vous quand vous aurez mon âge?

L'une d'elles leva sur mon visage un long regard désabusé :

— Rien... Si vous croyez que ça m'amuse... Mon rêve, c'est d'être maquillée une fois pour toutes, pour la vie; je me maquille très fort, de manière à avoir la même figure dans vingt ans. Comme ça, j'espère qu'on ne me verra pas changer.

Un de mes grands plaisirs, c'est la découverte. On ne croirait jamais que tant de visages féminins de Paris restent, jusqu'à l'âge mûr, tels que Dieu les créa. Mais vient l'heure dangereuse, et une sorte de panique, l'envie non seulement de durer, mais de naître; vient l'amer, le tardif printemps des cœurs, et sa force qui déplace les montagnes...

— Est-ce que vous croyez que... Oh! il n'est pas question pour moi de me changer en jeune femme, bien sûr... Mais, tout de même, je voudrais essayer...

J'écoute, mais surtout je regarde. Une grande paupière brune, un œil qui s'ignore, une joue romaine, un peu large, mais ferme encore, tout ce beau terrain à prospecter, à éclairer... Enviez-moi, j'ai de belles récompenses après le maquillage : le soupir d'espoir, l'étonnement, l'arrogance qui point, et ce coup d'œil impatient vers la rue, vers l'" effet que ça fera ", vers le risque...

Pendant que j'écris, ma fille est toujours là. Elle lit, et sa main va d'une corbeille de fruits à une boîte de bonbons. C'est une enfant d'à présent. L'or de ses cheveux, en suis-je tout à fait responsable? Elle a eu un teint de pêche claire, avant de devenir, en dépit de l'hiver, un brugnon très foncé, sous une poudre aussi rousse que le pollen des fleurs de sapin... Elle sent mon regard, y répond malicieusement, et lève vers la lumière une grappe de raisin, noir sous son brouillard bleu de pruine impalpable :

— Lui aussi, dit-elle, il est poudré...

La guêpe mangeait la gelée de groseilles de la tarte. Elle y mettait une hâte méthodique et gloutonne, la tête en bas, les pattes engluées, à demi disparue dans une petite cuve rose aux parois transparentes. Je m'étonnais de ne pas la voir enfler, grossir, devenir ronde comme une araignée... Et mon amie n'arrivait pas, mon amie si gourmande, qui vient goûter assidûment chez moi, parce que je choie ses petites manies, parce que je l'écoute bavarder, parce que je ne suis jamais de son avis... Avec moi elle se repose; elle me dit volontiers, sur un ton de gratitude, que je ne suis guère coquette, et je n'épluche point son chapeau ni sa robe, d'un œil agressif et féminin... Elle se tait, quand on dit du mal de moi chez ses autres amies, elle va jusqu'à s'écrier : " Mes enfants, Colette est toquée, c'est possible, mais elle n'est pas si rosse que vous la faites ! " Enfin elle m'aime bien.

Je ressens, à la contempler, ce plaisir apitoyé et ironique qui est une des formes de l'amitié. On n'a jamais vu une femme plus blonde, ni plus blanche, ni plus habillée, ni plus coiffée ! La nuance de ses cheveux, de ses vrais cheveux, hésite délicatement entre l'argent et l'or, il fallut faire venir de Suède la chevelure annelée d'une fillette de six ans, quand mon amie désira les "chichis" réglementaires qu'exigent nos chapeaux. Sous cette couronne d'un métal si rare, le teint de mon amie, pour ne point en jaunir, s'avive de poudre rose, et les cils, brunis à la brosse, protègent un regard mobile, un regard gris, ambré, peut-être aussi marron, un regard qui sait se poser, câlin et quémandeur, sur des prunelles masculines, câlines et quémandeuses.

Telle est mon amie, dont j'aurai dit tout ce que je sais, si j'ajoute qu'elle se nomme Valentine avec quelque crânerie, par ce temps de brefs diminutifs où les petits noms des femmes, — Tote, Moute, Loche, — ont des sonorités de hoquet mal retenu...

"Elle a oublié", pensais-je patiemment. La guêpe, endormie ou morte de congestion, s'enlisait, la tête en bas, dans la cuve de délices... J'allais rouvrir mon livre, quand le timbre grelotta, et mon amie parut. D'une volte elle enroula à ses jambes sa jupe trop longue et s'abattit près de moi, l'ombrelle en travers des genoux, geste savant d'actrice, de mannequin, presque d'équilibriste, que mon amie réussit si parfaitement chaque fois...

— Voilà une heure pour goûter! Qu'est-ce que vous avez pu faire?

— Mais rien, ma chère! Vous êtes étonnante, vous qui vivez entre votre chien, votre chatte et votre livre! vous croyez que Lelong me réussira des amours de robes sans que je les essaie?

— Allons... mangez et taisez-vous. Ça? c'est pas sale, c'est une guêpe. Figurez-vous qu'elle a creusé toute seule ce petit puits! Je l'ai regardée, elle a mangé tout ça en vingt-cinq minutes.

— Comment, vous l'avez regardée? Quelle dégoûtante créature vous êtes, tout de même! Non, merci, je n'ai pas faim. Non, pas de thé non plus.

— Alors je sonne, pour les toasts?

— Si c'est pour moi, pas la peine... Je n'ai pas faim, je vous dis.

— Vous avez goûté ailleurs, petite rosse?

— Parole, non! Je suis toute chose, je ne sais pas ce que j'ai...

Etonnée, je levai les yeux vers le visage de mon amie, que je n'avais pas encore isolé de son chapeau insensé, grand comme une ombrelle, hérissé d'une fusée épanouie de plumes, un chapeau feu d'artifice, grandes-eaux de Versailles, un chapeau pour géante qui eût accablé jusqu'aux épaules la petite tête de mon amie, sans les fameux *chichis* blond-suédois.... Les joues poudrées de rose, les lèvres vives et fardées, les cils raidis lui composaient son frais petit masque habituel, mais quelque chose, là-dessous, me sembla changé, éteint, absent. En haut d'une joue moins poudrée, un sillon mauve gardait la nacre, le vernissé de larmes récentes...

Ce chagrin maquillé, ce chagrin de poupée courageuse me remua soudain, et je ne pus me retenir de prendre mon amie par les épaules, dans un mouvement de sollicitude qui n'est guère de mise entre nous...

Elle se rejeta en arrière en rougissant sous son rose, mais elle n'eut pas le temps de se reprendre et renifla en vain son sanglot...

Une minute plus tard, elle pleurait, en essuyant l'*intérieur* de ses paupières avec la corne d'une serviette à thé. Elle pleurait avec simplicité, attentive à ne pas tacher de larmes sa robe de crêpe de Chine, à ne point défaire sa figure, elle pleurait soigneusement, proprement, petite martyre du maquillage...

— Je ne puis pas vous être utile? lui demandai-je doucement.

Elle fit "non" de la tête, soupira en tremblant, et me tendit sa tasse où je versai du thé refroidi...

— Merci, murmura-t-elle, vous êtes bien gentille... Je vous demande pardon, je suis si nerveuse...

— Pauvre gosse! Vous ne voulez rien me dire?

— Oh! Dieu si. Ce n'est pas compliqué, allez. Il ne m'aime plus.

Il... Son amant! Je n'y avais pas songé. Un amant, elle? et quand? et où? et qui? Cet idéal mannequin se dévêtait, l'après-midi, pour un amant? Un tas d'images saugrenues se levèrent, — se couchèrent — devant moi, que je chassai en m'écriant :

— Il ne vous aime plus? Ce n'est pas possible!

— Oh! si... Une scène terrible... (Elle ouvrit sa glace d'or, se poudra, essuya ses cils d'un doigt humide.) Une scène terrible, hier...

— Jaloux?

— Lui, jaloux? Je serais trop contente! Il est méchant... Il me reproche des choses... Je n'y peux rien, pourtant!

Elle bouda, le menton doublé sur son haut col :

— Enfin, je vous fais juge! Un garçon délicieux, et nous n'avions jamais eu un nuage en six mois, pas un accroc, pas ça!... Il était quelquefois nerveux, mais chez un artiste...

— Ah! il est artiste?

— Peintre, ma chère. Et peintre de grand talent. Si je pouvais vous le nommer, vous seriez bien surprise. Il a chez lui vingt sanguines d'après moi, en chapeau, sans chapeau, dans toutes mes robes! C'est d'un enlevé, d'un vaporeux... Les mouvements des jupes sont des merveilles...

Elle s'animait, un peu défaite, les ailes de son nez mince brillantes de larmes essuyées et d'un commencement de couperose légère... Ses cils avaient perdu leur gomme noire, ses lèvres leur carmin... Sous le grand chapeau seyant et ridicule, sous les *chichis* postiches, je découvrais pour la première fois une femme, pas très jolie, pas laide non plus, fade si l'on veut, mais touchante, sincère et triste...

Ses paupières rougirent brusquement.

— Et... qu'est-ce qui est arrivé? risquai-je.

— Ce qui est arrivé? Mais rien! On peut dire *rien*, ma chère! Hier, il m'a accueillie d'un air drôle... un air de médecin... Et puis tout d'un coup aimable : " Ote ton chapeau, chérie! " me dit-il. " Je te garde... pour dîner, dis? je te garde toute la vie si tu veux! " C'était ce chapeau-ci, justement, et vous savez que c'est une affaire terrible pour l'installer et le retirer...

Je ne savais pas, mais je hochai la tête, pénétrée...

— ... Je fais un peu la mine. Il insiste, je me dévoue, je commence à enlever mes épingles et un de mes chichis reste pris dans la barrette du chapeau, là, tenez... Ça m'était bien égal, on sait que j'ai des cheveux, n'est-ce pas, et lui mieux que personne! C'est pourtant lui qui a rougi, en se cachant. Moi, j'ai replanté mon chichi, comme une fleur, et j'ai embrassé mon ami à grands bras autour du cou, et je lui ai chuchoté que mon mari était au circuit de Dieppe, et que... vous comprenez! Il ne disait rien. Et puis il a jeté sa cigarette et ça a commencé. Il m'en a dit! Il m'en a dit!...

A chaque exclamation, elle frappait ses genoux de ses mains ouvertes, d'un geste peuple et découragé, comme ma femme de chambre quand elle me raconte que son mari l'a encore battue.

— Il m'a dit des choses incroyables, ma chère! Il se retenait d'abord, et puis il s'est mis à marcher en parlant... " Je ne demande pas mieux, chère amie, que de passer la nuit avec vous... (ce toupet!) mais je veux... je veux ce que vous devez me donner, ce que vous ne pouvez pas me donner!... "

— Quoi donc, Seigneur?

— Attendez, vous allez voir... " Je veux la femme
que vous êtes *en ce moment*, la gracieuse longue petite fée
couronnée d'un or si léger et si abondant que sa chevelure
mousse jusqu'aux sourcils. Je veux ce teint de fruit mûri
en serre, et ces cils paradoxaux, et toute cette beauté école
anglaise! Je vous veux, telle que vous voilà, et non pas
telle que la nuit cynique vous donnera à moi! Car vous
viendrez, — je m'en souviens! — vous viendrez conjugale et tendre, sans couronne et sans frisure, avec vos
cheveux épargnés par le fer, tout plats, tordus en nattes.
Vous viendrez petite, sans talons, vos cils déveloutés,
votre poudre lavée, vous viendrez désarmée et sûre de
vous, et je resterai stupéfait devant cette autre femme!...

" Mais vous le saviez pourtant, criait-il, vous le saviez!
La femme que j'ai désirée, vous, telle que vous voilà, n'a
presque rien de commun avec cette sœur simplette et
pauvre qui sort de votre cabinet de toilette chaque soir!
De quel droit changez-vous la femme que j'aime? Si
vous vous souciez de mon amour, comment osez-vous
défleurir ce que j'aime?... "

Il en a dit, il en a dit!... Je ne bougeais pas, je le regardais, j'avais froid... Je n'ai pas pleuré, vous savez! Pas
devant lui.

— C'était très sage, mon enfant, et très courageux.

— Très courageux, répéta-t-elle en baissant la tête.
Dès que j'ai pu bouger, j'ai filé... J'ai entendu encore des
choses terribles sur les femmes, sur toutes les femmes;
sur l'" inconscience prodigieuse des femmes, leur impré-
voyant orgueil, leur orgueil de brutes qui pensent toujours, au fond, que ce sera assez bon pour l'homme... "
Qu'est-ce que vous auriez répondu, vous?

— Rien.

Rien, c'est vrai. Que dire? Je ne suis pas loin de penser comme lui, lui, l'homme grossier et poussé à bout... Il a presque raison. "C'est toujours assez bon pour l'homme!" Elles sont sans excuse. Elles ont donné à l'homme toutes les raisons de fuir, de tromper, de haïr, de changer... Depuis que le monde existe, elles ont infligé à l'homme, sous les courtines, une créature inférieure à celle qu'il désirait. Elles le volent avec effronterie, en ce temps où les cheveux de renfort, les corsets truqués, font du moindre laideron piquant une "petite femme épatante".

J'écoute parler mes autres amies, je les regarde, et je demeure, pour elles, confuse... Lily, la charmante, ce page aux cheveux courts et frisés, impose à ses amants, dès la première nuit, la nudité de son crâne bossué d'escargots marron, l'escargot gras et immonde du bigoudi! Clarisse préserve son teint, pendant son sommeil, par une couche de crème aux concombres, et Annie relève à la chinoise tous ses cheveux attachés par un ruban! Suzanne enduit son cou délicat de lanoline et l'emmaillote de vieux linge usé... Minna ne s'endort jamais sans sa mentonnière, destinée à retarder l'empâtement des joues et du menton, et elle se colle sur chaque tempe une étoile en paraffine...

Quand je m'indigne, Suzanne lève ses grasses épaules et dit :

"Penses-tu que je vais m'abîmer la peau pour un homme? Je n'ai pas de peau de rechange. S'il n'aime pas la lanoline, qu'il s'en aille. Je ne force personne." Et Lily déclare, impétueuse : "D'abord, je ne suis pas laide avec mes bigoudis! Ça fait petite fille frisée pour une distribution des prix!" Minna répond à son "ami", quand il proteste contre la mentonnière : "Mon chéri, t'es bassin. Tu es pourtant assez content, aux courses, quand on dit derrière toi : " Cette Minna, elle a toujours son ovale de vierge ! " Et Jeannine, qui porte la nuit une ceinture amaigrissante ! Et Marguerite qui... non, celle-là, je ne peux pas l'écrire !...

Ma petite amie, enlaidie et triste, m'écoutait obscurément penser, et devina que je ne la plaignais pas assez. Elle se leva :

— C'est tout ce que vous me dites ?

— Mon pauvre petit, que voulez-vous que je vous dise ? Je crois que rien n'est cassé, et que votre peintre d'amant grattera demain à votre porte, peut-être ce soir...

— Peut-être qu'il aura téléphoné ? Il n'est pas méchant au fond... il est un peu toqué, c'est une crise, n'est-ce pas ?

Elle était debout déjà, tout éclairée d'espoir.

Je dis " oui " chaque fois, pleine de bonne volonté et du désir de la satisfaire... Et je la regardai filer sur le trottoir, de son pas raccourci par les hauts talons... Peut-être, en effet, l'aime-t-il... Et s'il l'aime, l'heure reviendra où, malgré tous les apprêts et les fraudes, elle redeviendra pour lui, l'ombre aidant, la faunesse aux cheveux libres, la nymphe aux pieds intacts, la belle esclave aux flancs sans plis, nue comme l'amour même...

— Qu'eſt-ce que vous faites, demain dimanche?

— Pourquoi me demandez-vous ça?

— Oh! pour rien...

Mon amie Valentine a pris, pour s'enquérir de l'emploi de mon dimanche, un air trop indifférent... J'insiſte :

— Pour rien? c'eſt sûr? Allons, dites tout!... Vous avez besoin de moi?

Elle s'en tire avec grâce, la rouée, et me répond gentiment.

— J'ai toujours besoin de vous, ma chère.

Oh! ce sourire!... Je reſte un peu bête, comme chaque fois que sa petite duplicité mondaine me joue. J'aime mieux céder tout de suite :

— Le dimanche, Valentine, je vais au concert, ou bien je me couche. Cette année, je me couche souvent, parce que Chevillard eſt mal logé et parce que les concerts Colonne, qui se suivent, se ressemblent.

— Ah! vous trouvez?

— Je trouve. Quand on a fréquenté Bayreuth, autrefois, assez assidûment, quand on a joui de Van Rocy en Wotan et souffert de Burgſtaller en Siegfried, on n'a aucun plaisir, mais aucun, à retrouver celui-ci chez Colonne, en civil, avec sa dégaine de sacriſtain frénétique couronné de frisettes enfantines, ses genoux de vieille danseuse et sa sensiblerie de séminariſte... Un méchant hasard nous réunit au Châtelet, lui sur la scène, moi dans la salle, il y a quelques semaines, et je dus l'entendre

bramer — deux fois! — un "*Ich grolle nicht*" que
Mme de Maupeou n'ose plus servir à des parents de
province! Avant la fin du concert, j'ai fui, au grand soulagement de ma voisine de droite, la " dame " d'un conseil-
ler municipal de Paris, ma chère!

— Vous la gêniez?

— Je lui donnais chaud. Elle ne me connaît plus,
depuis qu'une séparation de corps et de biens m'a tant
changée. Elle tremblait, chaque fois que je bougeais un
cil, que je l'embrassasse...

— Ah! je comprends!...

Elle comprend!... Les yeux baissés, mon amie Valentine tapote le fermoir de sa bourse d'or. Elle porte —
mais je vous l'ai conté déjà — un vaste et haut chapeau,
sous lequel foisonnent des cheveux d'un blond ruineux.
Ses manches à la japonaise lui font des bras de pingouin,
sa jupe, longue et lourde, couvre ses pieds pointus, et
il lui faut un terrible entêtement pour paraître charmante
sous tant d'horreurs... Elle vient de dire, comme malgré elle :

— Je comprends...

— Oui, vous comprenez. J'en suis sûre. Vous devez
comprendre cela... Mon enfant, vous ne rentrez pas
chez vous? Il est tard, et votre mari...

— Oh! ce n'est pas gentil à vous...

Ses yeux bleu-gris-vert-marron, humbles, me supplient,
et je me repens tout de suite.

— C'est pour rire, bête! Voyons, que vouliez-vous
faire de mon dimanche?

Mon amie Valentine écarte ses petits bras de pingouin,
comiquement :

— Eh bien, voilà, justement, c'est comme un fait
exprès... Figurez-vous, demain après-midi, je suis toute
seule, toute seule...

— Et vous vous plaignez!...

Le mot m'a échappé... Je la sens presque triste, cette jeune poupée. Son mari absent, son amant... occupé, ses amis, — les vrais, — fêtent le Seigneur portes closes, ou filent en auto...

— Vous vouliez venir chez moi, demain, mon petit? Mais venez donc! C'est une très bonne idée.

Je n'en pense pas un mot, mais elle me remercie, d'un regard chien-perdu propre à me toucher, et elle s'en va, vite, pressée, comme si vraiment elle avait quelque chose à faire...

DIMANCHE. — Mon cher dimanche de paresse et de lit tiède, mon dimanche de gourmandise, de sommeil, de lecture, te voilà perdu, gâché, et pour qui? Pour une incertaine amie qui m'apitoie vaguement...

Ne t'endors pas, ma chatte grise repue, car mon amie Valentine va sonner, entrer, froufrouter, s'exclamer... Elle passera sa main gantée sur ton dos, et tu frémiras de l'échine, en levant sur elle des yeux meurtriers... Tu sais qu'elle ne t'aime guère, toi ma campagnarde à fourrure rase; elle s'extasie devant les angoras qui ont des pèlerines de colleys et des favoris comme Chauchard... Parce que tu l'as griffée un jour, elle s'écarte de toi, elle ignore ta petite âme violente, délicate et vindicative, de chatte bohémienne. Dès qu'elle viendra, tourne-lui ton dos zébré, roule-toi en turban contre mes pieds, sur le satin éraillé par tes griffes courbes qui ont la forme des épines d'églantier...

Chut! elle a sonné... La voici! Elle grelotte et pose au hasard sur ma figure son petit nez glacé, — elle embrasse si mal!

— Seigneur! votre nez a perdu connaissance, ma chérie. Asseyez-vous dans le feu, je vous en prie.

— Ne riez pas, c'est terrible dehors! Avez-vous de la chance, tout de même, d'être couchée! Quatre degrés sous zéro; tout le monde va mourir.

De fait, le visage de mon amie a tourné au lilas, le lilas un peu verdâtre des prunes qui commencent à mûrir...

Un splendide costume tailleur, en velours souris, la moule, l'épouse du col aux pieds. La jaquette surtout, oh! la jaquette!... étroite en haut, évasée en bas, la basque brodée battant le genou, comme une seconde petite jupe... Et on a jeté là-dessus, par quatre degrés sous zéro, une étole de zibeline, un coûteux chiffon de fourrure inutile, — et on meurt de froid et on a le nez mauve.

— Petite buse! Vous ne pouviez pas mettre votre paletot en breitschwanz, au moins?

Elle se tourne à demi, les mains au chapeau, égarée dans sa voilette :

— Mais non, je ne pouvais pas! Avec cette mode de jaquettes longues, les basques de celle-ci dépassent sous mon manteau de breitschwanz, alors, je vous demande un peu, de quoi est-ce qu'on a l'air?

— Il fallait allonger le paletot de breitschwanz.

— Merci! et puis quoi encore! Max est très chic, et pas trop cher, mais tout de même...

— Il fallait... acheter une zibeline plus grande...

Mon amie vire sur moi comme si elle allait me mordre.

— Une... une zibeline plus grande!!! Je ne suis pas Rothschild, moi!

— Moi non plus. Ou bien... attendez... vous auriez dû avoir un manteau sérieux, en fourrure moins chère, qui ne serait pas de la zibeline...

Dépêtrée de sa voilette, mon amie laisse tomber ses bras fatigués.

— Une autre fourrure!... Il n'y a pas de fourrure

vraiment chic, vraiment *habillée*, en dehors de la zibeline...
Une femme chic sans zibeline, sérieusement, ma chère,
de quoi a-t-elle l'air?

De quoi, en effet, peut-elle bien avoir l'air? Je n'en
sais rien. Je cherche, en caressant des orteils, au fond de
mon lit, ma " boule " en caoutchouc...

Le feu craque et siffle, un feu campagnard et sans
vergogne, qui pète et lance de petites braises roses...

— Valentine, vous allez être bien gentille et vous
occuper du ménage. Tirez la table à thé contre le lit.
L'eau bouillante est devant le feu! les sandwiches, le
frontignan, tout est là... vous n'aurez pas à sonner Fran-
cine; je ne serai pas forcée de me lever; on va être tranquilles, gourmandes, paresseuses... Otez votre chapeau,
vous pourrez appuyer votre nuque aux coussins... Là
donc!

Elle est gentille, sans chapeau. Un peu modiste, un
peu mannequin, mais gentille. Un beau rouleau de
cheveux dorés s'abaisse jusqu'à ses sourcils châtains et
soutient une grosse vague ondulée; — au-dessus, il y a
encore une vague plus petite, et puis encore au-dessus,
en arrière, des boucles, des boucles, des boucles... C'est
appétissant, propre, à la fois crémeux et net, compliqué
comme un entremets de repas de noces...

La lampe, — j'ai fait clore persiennes et rideaux, —
jette au visage de mon amie un fard rose; mais, malgré
la poudre de riz en nappe égale et veloutée, malgré le
rouge des lèvres, je devine les traits tirés, le sourire raidi...
Elle s'appuie aux coussins avec un grand soupir de fatigue...

— Claquée?

— Claquée complètement.

— L'amour?...

Geste d'épaules.

— L'amour? Ah! là là... Pas le temps. Avec les " premières ", les dîners, les soupers, les déjeuners en auto aux environs, les expositions et les thés... C'est terrible, ce mois-ci!

— On se couche tard, hein?

— Hélas...

— Levez-vous tard. Ou bien vous perdrez votre beauté, mon petit.

Elle me regarde, étonnée :

— Me lever tard? Vous en parlez à votre aise. Et la maison? Et les ordres à donner? Et les comptes des fournisseurs? Et tout et tout!... Et la femme de chambre qui frappe à ma porte vingt-cinq fois!

— Tirez le verrou, et dites qu'on vous fiche la paix.

— Mais je ne peux pas! Rien ne marcherait plus chez moi; ce serait le coulage, le vol organisé... Tirer le verrou! Je pense à la figure que ferait, derrière la porte, mon gros maître d'hôtel qui ressemble à Jean de Bonnefon... De quoi est-ce que j'aurais l'air?

— Je ne sais pas, moi... D'une femme qui se repose...

— Facile à dire... soupire-t-elle dans un bâillement nerveux. Vous pouvez vous payer ça, vous qui êtes... qui êtes...

— En marge de la société...

Elle rit de tout son cœur, soudain rajeunie... Puis, mélancolique :

— Eh oui, vous le pouvez. *Nous autres*, on ne nous le permet pas.

Nous autres... Pluriel mystérieux, franc-maçonnerie imposante de celles que le monde hypnotise, surmène et discipline... Un abîme sépare cette jeune femme assise, en costume tailleur gris, de cette autre femme couchée

sur le ventre, les poings au menton. Je savoure, silencieuse, mon enviable infériorité. Tout bas, je songe :

"*Vous autres*, vous ne pouvez pas vivre n'importe
comment... C'est là votre supplice, votre orgueil et votre
perte. Vous avez des maris qui vous mènent, après le
théâtre, souper, — mais vous avez aussi des enfants et
des femmes de chambre qui vous tirent, le matin, à bas
du lit. Vous soupez, au Café de Paris, à côté de Mlle Xave-
rine de Choisy, et vous quittez le restaurant en même
temps qu'elle, un peu grises, un peu toquées, les nerfs
en danse... Mais Mlle de Choisy, chez elle, dort si ça lui
chante, aime si ça lui roucoule, et jette en s'endormant
à sa cameriste fidèle : " Je me piaute pour jusqu'à deux
heures de l'après-midi, et qu'on ne me barbe pas avant
ou je fiche ses huit jours à tout le monde! " Ayant dormi
neuf heures d'un juste repos, Mlle de Choisy s'éveille,
fraîche, déjeune, et file rue de la Paix, où elle vous rencontre, vous, Valentine, vous, toutes les Valentines, vous,
mon amie, debout depuis huit heures et demie du matin,
déjà sur les boulets, pâlotte et les yeux creux... Et Mlle de
Choisy, bonne fille, glisse en confidence à son essayeuse :
" Elle en a une mine, la petite Mme Valentine Chose!
Elle doit s'en coller une de ces noces! " Et votre mari,
et votre amant, au souper suivant compareront *in petto*,
eux aussi, la fraîcheur reposée de Mlle de Choisy à votre
évidente fatigue. Vous penserez, rageuse et inconsidérée :
" Elles sont en acier, ces femmes-là! " Que non pas,
mon amie! Elles se reposent plus que vous. Quelle demi-
mondaine résisterait au traintrain quotidien de certaines
femmes du monde ou même de certaines mères de famille?... "

Ma jeune amie a ébouillanté le thé, et emplit les tasses
d'une main adroite. J'admire son élégance un peu voulue,

ses gestes justes; je lui sais gré de marcher sans bruit,
tandis que sa longue jupe la précède et la suit, d'un flot
obéissant et moiré... Je lui sais gré de se confier à moi,
de revenir, au risque de compromettre sa position cor-
recte de femme qui a un mari et un amant, de revenir
chez moi avec un entêtement affectueux qui frise l'héroïsme...

Au tintement des cuillers, ma chatte grise vient d'ouvrir ses yeux de serpent.

Elle a faim. Mais elle ne se lève pas tout de suite, par
souci de pur *cant*. Mendier, à la façon d'un angora plaintif
et câlin, sur une mélopée mineure, fi!... De quoi est-ce
qu'elle aurait l'air? comme dit Valentine... Je lui tends
un coin de toast brûlé, qui craque sous ses petites dents
de silex d'un blanc bleuté, et son ronron perlé double
celui de la bouilloire... Durant une longue minute, un
silence quasi provincial nous abrite. Mon amie se repose,
les bras tombés...

— On n'entend rien, chuchote-t-elle avec précaution.

Je lui réponds des yeux sans parler, amollie de chaleur
et de paresse. On est bien... Mais l'heure ne serait-elle
pas meilleure encore, si mon amie n'était pas là? Elle
va parler, c'est inévitable. Elle va dire : " De quoi est-ce
qu'on a l'air? " Ce n'est pas de sa faute, on l'a élevée
comme ça. Si elle avait des enfants, elle leur défendrait
de manger leur viande sans pain, ou de tenir leur cuiller
avec la main gauche : " Jacques, veux-tu bien!... De
quoi as-tu l'air?... "

Chut!... elle ne parle pas. Ses paupières battent et ses
yeux ont l'air de s'évanouir... J'ai, devant moi, une
figure presque inconnue, celle d'une jeune femme ivre
de sommeil et qui s'endort avant d'avoir fermé les paupières. Le sourire voulu s'efface, la lèvre boude, et le

petit menton rond s'écrase sur le col en broderie d'argent.

Elle dort profondément à présent. Quand elle se réveillera en sursaut, elle s'excusera, en s'écriant : " M'endormir en visite, sur un fauteuil! De quoi ça a-t-il l'air? "

Mon amie Valentine, vous avez l'air d'une jeune femme oubliée là comme un pauvre chiffon gracieux. Dormez entre le feu et moi, au ronron de la chatte, au froissement léger du livre que je vais lire. Personne n'entrera avant votre réveil; personne ne s'écriera, en contemplant votre sommeil boudeur et mon lit défait : " Oh! de quoi ça a-t-il l'air! " car vous en pourriez mourir de confusion. Je veille sur vous, avec une tiède, une amicale pitié; je veille sur votre constant et vertueux souci de l'*air* que *ça* pourrait avoir...

La chatte grise est ravie que je fasse du théâtre. Théâtre ou music-hall, elle n'indique pas de préférence. L'important est que je disparaisse tous les soirs, la côtelette avalée, pour reparaître vers minuit et demi, et que nous nous attablions derechef devant la cuisse de poulet ou le jambon rose... Trois repas par jour au lieu de deux! Elle ne songe plus, passé minuit, à celer son allégresse. Assise sur la nappe, elle sourit sans dissimulation, les coins de sa bouche retroussés, et ses yeux, pailletés d'un sable scintillant, reposent larges ouverts et confiants sur les miens. Elle a attendu toute la soirée cette heure précieuse, elle la savoure avec une joie victorieuse et égoïste qui la rapproche de moi...

O chatte en robe de cendre! Pour les profanes, tu ressembles à toutes les chattes grises de la terre, paresseuse, absente, morose, un peu molle, neutre, ennuyée... Mais je te sais sauvagement tendre, et fantasque, jalouse à en perdre l'appétit, bavarde, paradoxalement maladroite, et brutale à l'occasion autant qu'un jeune dogue...

Voici juin, et je ne joue plus *La chair*, et j'ai fini de jouer *Claudine*... Finis, nos soupers tête à tête!... Regrettes-tu l'heure silencieuse où, affamée, un peu abrutie, je grattais du bout des ongles ton petit crâne plat de bête cruelle, en songeant vaguement : "Ça a bien marché, ce soir..." Nous voilà seules, redevenues casanières, insociables, étrangères à presque tout, indifférentes à presque tous... Nous allons revoir notre amie Valentine,

notre "relation convenable", et l'entendre discourir
sur un monde habité, étrange, mal connu de nous, plein
d'embûches, de devoirs, d'interdictions, monde redou-
table, à l'en croire, mais si loin de moi que je le conçois
à peine...

Durant mes stages de pantomime ou de comédie,
mon amie Valentine disparaît de ma vie, discrète, effarée,
pudique. C'est sa façon courtoise de blâmer mon genre
d'existence. Je ne m'en offusque pas. Je me dis qu'elle
a un mari dans les automobiles, un amant peintre mon-
dain, un salon, des thés hebdomadaires et des dîners
bi-mensuels. Vous ne me voyez guère, n'est-ce pas,
jouant *La chair* ou *Le faune* en soirée chez Valentine ou
dansant *Le serpent bleu* devant ses invités?... Je me fais
une raison. J'attends. Je sais que mon amie convenable
reviendra, gentille, embarrassée, un de ces jours... Peu
ou beaucoup, elle tient à moi et me le prouve, et c'est
assez pour que je sois son obligée...

La voici. J'ai reconnu son coup de sonnette bref et
précis, son coup de sonnette de bonne compagnie...
— Enfin, Valentine! Qu'il y a donc longtemps...
Quelque chose dans son regard, dans toute sa figure,
m'arrête. Je ne saurais dire, au juste, en quoi mon amie
est changée. Mauvaise mine? Non, elle n'a jamais mauvaise
mine, sous le velours égal de la poudre et le frottis rose
des pommettes. Elle a toujours son air de mannequin
élégant, la taille mince, les hanches ravalées sous sa
jupe de tussor blond. Elle a ses yeux bleu-gris-vert-marron
frais fleuris entre leur double frange de cils noircis, et
un tas, un tas de beaux cheveux blond-suédois... Qu'y
a-t-il? Un ternissement de tout cela, une fixité nouvelle

dans le regard, une décoloration morale, si je puis dire, qui déconcerte, qui arrête sur mes lèvres les banalités de bienvenue... Pourtant elle s'assied, adroite à virer dans sa longue robe, aplatit d'une tape son jabot de lingerie, sourit et parle, parle, jusqu'à ce que je l'interrompe sans diplomatie :

— Valentine, qu'est-ce que vous avez?

Elle ne s'étonne pas et répond simplement :

— Rien. Presque rien, vraiment. Il m'a quittée.

— Comment? Henri... Votre... Votre amant vous a quittée?

— Oui, dit-elle. Ça fait juste trois semaines aujourd'hui.

La voix est si douce, si froide, que je me rassure :

— Ah! Vous... vous avez eu du chagrin?

— Non, dit-elle avec la même douceur. Je n'en ai pas eu, j'en ai.

Ses yeux deviennent tout à coup grands, grands, interrogent les miens avec une âpreté soudaine :

— Oui, j'en ai. Oh! j'en ai... Dites, est-ce que ça va durer comme ça? Est-ce que je vais souffrir longtemps? Vous ne connaîtriez pas un moyen... Je ne peux pas m'habituer... Que faire?

La pauvre enfant!... Elle s'étonne de souffrir, elle qui ne s'en croyait pas capable...

— Votre mari, Valentine... il n'a rien su?

— Non, dit-elle impatiemment, il n'a rien su. Ce n'est pas de cela qu'il s'agit. Qu'est-ce que je pourrais faire? Vous n'avez pas une idée, vous? Depuis quinze jours je suis à me demander ce qu'il faut faire...

— Vous l'aimez encore?

Elle hésite :

— Je ne sais pas... Je lui en veux terriblement, parce

qu'il ne m'aime plus et qu'il m'a quittée... Je ne sais pas, moi. Je sais seulement que c'est insupportable, insupportable, cette solitude, cet abandon de tout ce qu'on aimait, ce vide, ce...

Elle s'est levée sur ce mot " insupportable " et marche dans la chambre comme si une brûlure l'obligeait à fuir, à chercher la place fraîche...

— Vous n'avez pas l'air de comprendre. Vous ne savez pas ce que c'est, vous...

J'abaisse mes paupières, je retiens un sourire apitoyé, devant cette ingénue vanité de souffrir, de souffrir mieux et plus que les autres...

— Mon enfant, vous vous énervez. Ne marchez pas comme cela. Asseyez-vous... Voulez-vous ôter votre chapeau et pleurer tranquillement?

D'une dénégation révoltée, elle fait danser sur sa tête tous ses panaches couleur de fumée.

— Certainement non, que je ne m'amuserai pas à pleurer! Merci! Pour me défaire toute la figure, et m'avancer à quoi, je vous le demande? Je n'ai aucune envie de pleurer, ma chère. Je me fais du mauvais sang, voilà tout...

Elle se rassied, jette son ombrelle sur la table. Son petit visage durci n'est pas sans beauté véritable, en ce moment. Je songe que depuis trois semaines elle se pare chaque jour comme d'habitude, qu'elle échafaude minutieusement son château fragile de cheveux... Depuis trois semaines — vingt et un jours! — elle se défend contre les larmes dénonciatrices, elle noircit d'une main assurée ses cils blonds, elle sort, reçoit, potine, mange... Héroïsme de poupée, mais héroïsme tout de même...

Je devrais peut-être, d'un grand enlacement fraternel, la saisir, l'envelopper, fondre sous mon étreinte chaude

ce petit être raidi, cabré, enragé contre sa propre douleur... Elle s'écroulerait en sanglots, détendrait ses nerfs
qui n'ont pas dû, depuis trois semaines, faiblir... Je n'ose
pas. Nous ne sommes pas assez intimes, Valentine et
moi, et sa brusque confidence ne suffit pas à combler
deux mois de séparation...

Et d'ailleurs quel besoin d'amollir, par des dorlote-
ments de nourrice, cette force fière qui soutient mon
amie? "Les larmes bienfaisantes... " oui, oui, je connais
le cliché! Je connais aussi le danger, l'enivrement des
larmes solitaires et sans fin; — on pleure parce qu'on vient
de pleurer, et on recommence; — on continue par entraî-
nement, jusqu'à la suffocation, jusqu'à l'aboiement nerveux, jusqu'au sommeil d'ivrogne d'où l'on se réveille
bouffi, marbré, égaré, honteux de soi, et plus triste
qu'avant... Pas de larmes, pas de larmes! J'ai envie
d'applaudir, de féliciter mon amie qui se tient assise
devant moi, les yeux grands et secs, couronnée de cheveux
et de plumes, avec la grâce raide des jeunes femmes qui
portent un corset trop long...

— Vous avez raison, ma chérie, dis-je enfin.

Je prends soin de parler sans chaleur, comme si je la
complimentais du choix de son chapeau...

— Vous avez raison. Demeurez comme vous êtes,
s'il n'y a pas de remède, de réconciliation possible...

— Il n'y en a pas, dit-elle froidement, comme moi.

— Non?... Alors il faut attendre...

— Attendre? Attendre quoi?

Quel réveil tout à coup, quel fol espoir! Je secoue la
tête :

— Attendre la guérison, la fin de l'amour. Vous souf-
frez beaucoup, mais il y a pis. Il y a le moment, — dans
un mois, dans trois mois, je ne sais quand, — où vous

commencerez à souffrir par intermittences. Vous connaî-
trez les répits, les moments d'oubli animal qui viennent,
sans qu'on sache pourquoi, parce qu'il fait beau, parce
qu'on a bien dormi ou parce qu'on est un peu malade...
Oh! mon enfant! comme les reprises du mal sont terribles! Il s'abat sur vous sans avertir, sans rien ménager...
Dans un moment innocent et léger, un suave moment
délivré, au milieu d'un geste, d'un éclat de rire, *l'idée*, le
foudroyant souvenir de la perte affreuse tarit votre rire,
arrête la main qui portait à vos lèvres la tasse de thé, et
vous voilà terrifiée, espérant la mort avec la conviction
ingénue qu'on ne peut souffrir autant sans mourir...
Mais vous ne mourrez pas!... — vous non plus. Les
trêves reviendront irrégulières, imprévisibles, capricieuses.
Ce sera... ce sera vraiment terrible.... Mais...

— Mais?...

Mon amie m'écoute, moins défiante à présent, moins
hostile...

— Mais il y a pis encore!

Je n'ai pas assez surveillé ma voix... Au mouvement de
mon amie, je baisse le ton :

— Il y a pis. Il y a le moment où vous ne souffrirez
presque plus. Oui! Presque guérie, c'est alors que vous
serez " l'âme en peine ", celle qui erre, qui cherche elle
ne sait quoi, elle ne veut se dire quoi... A cette heure-là,
les reprises du mal sont bénignes, et par une étrange
compensation, les trêves se font abominables, d'un vide
vertigineux et fade qui chavire le cœur... C'est la période
de stupidité, de déséquilibre... On sent un cœur vidé,
ridé, flotter dans une poitrine que gonflent par instants
des soupirs tremblants qui ne sont pas même tristes.
On sort sans but, on marche sans raison, on s'arrête
sans fatigue... On creuse avec une avidité bête la place

de la souffrance récente, sans parvenir à en tirer la goutte
de sang vif et frais, — on s'acharne sur une cicatrice à
demi sèche, on regrette, — je vous le jure! — on regrette
la nette brûlure aiguë... C'est la période aride, errante,
que vient encore aigrir le scrupule... Certes, le scrupule!
Le scrupule d'avoir perdu le beau désespoir passionné,
frémissant, despotique... On se sent diminué, flétri,
inférieur aux plus médiocres créatures... Vous vous direz,
vous aussi : Quoi! je n'étais, je ne suis que cela? pas
même l'égale du trottin amoureux qui se jette à la Seine? "
O Valentine! vous rougirez de vous-même en secret,
jusqu'à...

— Jusqu'à?...

Mon Dieu, comme elle espère! Jamais je ne lui verrai
d'aussi beaux yeux couleur d'ambre, d'aussi larges prunelles, une bouche aussi angoissée...

— Jusqu'à la guérison, mon amie, la vraie guérison.
Cela vient... mystérieusement. On ne la sent pas tout de
suite. Mais c'est comme la récompense progressive de
tant de peines... Croyez-moi! cela viendra, je ne sais quand.
Une journée douce de printemps, ou bien un matin
mouillé d'automne, peut-être une nuit de lune, vous senti-
rez en votre cœur une chose inexprimable et vivante
s'étirer voluptueusement, — une couleuvre heureuse
qui se fait longue, longue, — une chenille de velours
déroulée, — un desserrement, une déchirure soyeuse
et bienfaisante comme celle de l'iris qui éclôt... Sans
savoir pourquoi, à cette minute, vous nouerez vos mains
derrière votre tête, avec un inexplicable sourire... Vous
découvrirez, avec une naïveté reconquise, que la lumière
est rose à travers la dentelle des rideaux, et doux le tapis
aux pieds nus, — que l'odeur des fleurs et celle des fruits
mûrs exaltent au lieu d'accabler... Vous goûterez un

craintif bonheur, pur de toute convoitise, délicat, un peu honteux, égoïste et soigneux de lui-même...

Mon amie me saisit les mains :

— Encore! encore! dites encore!...

Hélas, qu'espère-t-elle donc? ne lui ai-je pas assez promis en lui promettant la guérison? Je caresse en souriant ses petites mains chaudes :

— Encore! mais c'est fini, mon enfant. Que voulez-vous donc?

— Ce que je veux? mais... l'amour, naturellement, l'amour!

Mes mains abandonnent les siennes :

— Ah! oui... Un autre amour... Vous voulez un autre amour...

C'est vrai... Je n'avais pas pensé à un autre amour... Je regarde de tout près cette jolie figure anxieuse, ce gracieux corps apprêté, arrangé, ce petit front têtu et quelconque... Déjà elle espère un autre amour, meilleur, ou pire, ou pareil à celui qu'on vient de lui tuer... Sans ironie, mais sans attendrissement, je la rassure :

— Oui, mon enfant, oui. Vous, vous aurez un autre amour... Je vous le promets.

LE MIROIR

Il m'arrive souvent de rencontrer Claudine. Où? vous n'en saurez rien. Aux heures troubles du crépuscule, sous l'accablante tristesse d'un midi blanc et pesant, par ces nuits sans lune, claires pourtant, où l'on devine la lueur d'une main nue, levée pour montrer une étoile, je rencontre Claudine...

Aujourd'hui, c'est dans la demi-obscurité d'une chambre sombre, tendue de je ne sais quelle étoffe olive, et la fin du jour est couleur d'aquarium...

Claudine sourit et s'écrie : "Bonjour, mon Sosie!" Mais je secoue la tête et je réponds : "Je ne suis pas votre Sosie. N'avez-vous point assez de ce malentendu qui nous accole l'une à l'autre, qui nous reflète l'une dans l'autre, qui nous masque l'une par l'autre? Vous êtes Claudine, et je suis Colette. Nos visages, jumeaux, ont joué à cache-cache assez longtemps. On m'a prêté Rézi, votre blonde amie, on vous a mariée à Willy, vous qui pleurez en secret Renaud... Tout cela finit par lasser, ne trouvez-vous pas?"

Claudine hésite, hausse les épaules et répond vaguement : "Ça m'est égal!" Elle enfonce son coude droit dans un coussin, et, comme, par imitation, j'étaie, en face d'elle, mon coude gauche d'un coussin pareil, je crois encore une fois me mirer dans un cristal épais et trouble, car la nuit descend et la fumée d'une cigarette abandonnée monte entre nous...

— Ça m'est égal! répète-t-elle.

Mais je sais qu'elle ment. Au fond, elle est vexée de m'avoir laissée parler la première. Elle me chérit d'une tendresse un peu vindicative, qui n'exclut pas une dignité un tantinet bourgeoise. Aux nigauds qui nous confondent de bonne foi et la complimentent sur ses talents de mime, elle répond, raide : " Ce n'est pas moi qui joue la panto- mime, c'est Colette. " Claudine n'aime pas le music-hall.

Devant son parti pris d'indifférence, je me tais. Je me tais pour aujourd'hui seulement; mais je reviendrai à la charge! Je lutterai! Je serai forte, contre ce *double* qui me regarde, d'un visage voilé par le crépuscule... O mon double orgueilleux! Je ne me parerai plus de ce qui est à vous... A vous seule, ce pur renoncement qui veut qu'après Renaud finisse toute vie sentimentale! A vous, cette noble impudeur qui raconte ses penchants; cette littéraire charité conjugale qui vous fit tolérer les flirts nombreux de Renaud... A vous encore, non pas à moi, cette forteresse de solitude où, lentement, vous vous consumez... Voici que vous avez, tout en haut de votre âme, découvert une retraite qui défie l'envahisseur... Demeurez-y ironique et douce, et laissez-moi ma part d'incertitude, d'amour, d'activité stérile, de paresse savou- reuse, laissez-moi ma pauvre petite part humaine, qui a son prix!

Vous avez, Claudine, écrit l'histoire d'une partie de votre vie, avec une franchise rusée qui passionna, pour un temps, vos amis et vos ennemis. Du pavé gras et fertile de Paris, du fond de la province endormie et parfu- mée, jaillirent, comme autant de diablesses, mille et mille Claudines qui nous ressemblaient à toutes deux. Ronde criarde de femmes-enfants, court-vêtues, libérées, par un coup de ciseaux, de leur natte enrubannée ou de leur

chignon lisse, elles assaillirent nos maris grisés, étourdis,
éblouis... Vous n'aviez pas prévu, Claudine, que votre
succès causerait votre perte. Hélas! je ne puis vous en
garder rancune, mais...

— Mais n'avez-vous jamais, continué-je tout haut,
souhaité avec véhémence de porter une robe longue et
les cheveux en bandeaux plats?

Les joues de Claudine se creusent d'un sourire, elle a
suivi ma pensée.

— Oui, avoue-t-elle. Mais c'était pure taquinerie
contradictoire. Et puis, que venez-vous me parler d'imi-
tatrices? J'admire votre inconscience, Colette. Vous avez
coupé votre traîne de cheveux après moi, s'il vous plaît!

Je lève les bras au ciel.

— Seigneur! en sommes-nous là! Vous allez me chercher chicane pour des niaiseries de cet ordre? Ceci est
à moi. — ceci est à toi... Nous avons l'air de jouer *La
robe* — ô mon enfance! — *La robe*, du regretté Eugène
Manuel!

— O notre enfance... soupire Claudine...

Ah! j'en étais sûre! Claudine ne résiste jamais à une
évocation du passé. A ces seuls mots : "Vous souvenez-
vous?" Elle se détend, se confie, s'abandonne toute... A
ces seuls mots : "Vous souvenez-vous?" elle incline la
tête, les yeux guetteurs, l'oreille tendue comme vers un
murmure de fontaines invisibles... Encore une fois le
charme opère :

— Quand nous étions petites, commence-t-elle...

Mais je l'arrête :

— Parlez pour vous, Claudine. Moi, je n'ai jamais
été petite.

Elle se rapproche d'un sursaut de reins sur le divan,
avec cette brusquerie de bête qui fait craindre la morsure

ou le coup de corne. Elle m'interroge, me menace de son
menton triangulaire :

— Quoi! Vous prétendez n'avoir jamais été petite?

— Jamais. J'ai grandi, mais je n'ai pas été petite. Je
n'ai jamais changé. Je me souviens de moi avec une nette-
té, une mélancolie qui ne m'abusent point. Le même
cœur obscur et pudique, le même goût passionné pour
tout ce qui respire à l'air libre et loin de l'homme —
arbre, fleur, animal peureux et doux, eau furtive des
sources inutiles, — la même gravité vite muée en exaltation sans cause... Tout cela, c'est moi enfant et moi à
présent... Mais ce que j'ai perdu, Claudine, c'est mon
bel orgueil, la secrète certitude d'être une enfant précieuse, de sentir en moi une âme extraordinaire d'homme
intelligent, de femme amoureuse, une âme à faire éclater
mon petit corps... Hélas, Claudine, j'ai perdu presque
tout cela, à ne devenir après tout qu'une femme... Vous
vous souvenez du mot magnifique de notre amie Calliope,
à l'homme qui la suppliait : " Qu'avez-vous fait de grand
pour que je vous appartienne? " Ce mot-là, je n'oserais
plus le penser à présent, mais je l'aurais dis, quand j'avais
douze ans. Oui, je l'aurais dit! Vous n'imaginez pas
quelle reine de la terre j'étais à douze ans! Solide, la
voix rude, deux tresses trop serrées qui sifflaient autour
de moi comme des mèches de fouet; les mains roussies,
griffées, marquées de cicatrices, un front carré de garçon que
je cache à présent jusqu'aux sourcils... Ah! que vous m'auriez aimée, quand j'avais douze ans, et comme je me regrette!

Mon Sosie sourit, d'un sourire sans gaîté, qui creuse
ses joues sèches, ses joues de chat où il y a si peu de chair
entre les tempes larges et les mâchoires étroites :

— Ne regrettez-vous que cela? dit-elle. Alors je vous
envierais entre toutes les femmes...

Je me tais, et Claudine ne semble pas attendre de réponse. Une fois encore, je sens que la pensée de mon cher Sosie a rejoint ma pensée, qu'elle l'épouse avec passion, en silence... Jointes, ailées, vertigineuses, elles s'élèvent comme les doux hiboux veloutés de ce crépuscule verdissant. Jusqu'à quelle heure suspendront-elles leur vol sans se disjoindre, au-dessus de ces deux corps immobiles et pareils, dont la nuit lentement dévore les visages?...

LA DAME QUI CHANTE

LA dame qui allait chanter se dirigea vers le piano, et je me sentis tout à coup une âme féroce, une révolte concentrée et immobile de prisonnier. Pendant qu'elle fendait difficilement les jupes assises, sa robe collée aux genoux comme une onde bourbeuse, je lui souhaitais la syncope, la mort, ou même la rupture simultanée de ses quatre jarretelles. Il lui restait encore quelques mètres à franchir; trente secondes, l'espace d'un cataclysme... Mais elle marcha sereine sur quelques pieds vernis, effrangea la dentelle d'un volant, murmura "Pardon", salua et sourit, la main déjà sur l'obscur palissandre du Pleyel aux reflets de Seine nocturne. Je commençai à souffrir.

J'aperçus, à travers le brouillard dansant dont se nimbent les lustres des soirées finissantes, le dos arqué de mon gros ami Maugis, son bras arrondi qui défendait contre les coudes un verre plein... Je sentis que je le haïssais d'être parvenu jusqu'à la salle du buffet, tandis que je m'étiolais, bloqué, assis de biais sur la canne dorée d'un siège fragile...

Avec une froideur insolente, je dévisageai la dame qui allait chanter, et je retins le ricanement d'une diabolique joie, à la trouver plus laide encore que je l'espérais.

Cuirassée de satin blanc métallique, elle portait haut une tête casquée de cheveux d'un blond violent et artificiel. Toute l'arrogance des femmes trop petites éclatait dans ses yeux durs, où il y avait beaucoup de bleu et pas assez de noir. Les pommettes saillantes, le nez mobile,

ouvert, le menton solide et prêt à l'engueulade, tout cela
lui composait une face carline, agressive, à qui, avant
qu'elle eût parlé, j'eusse répondu : " Mange! "

Et la bouche! la bouche! J'attachai ma contemplation
douloureuse sur ces lèvres inégales, fendues à la diable
par un canif distrait. Je supputai la vaste ouverture
qu'elles démasqueraient tout à l'heure, la qualité des
sons que mugirait cet antre... Le beau gueuloir! Par
avance, les oreilles m'en sifflèrent, et je serrai les mâchoires.

La dame qui allait chanter se campa impudique, face
à l'assistance, et se hissa dans son corset droit, pour faire
saillir sa gorge en pommes. Elle respira fortement, toussa
et se racla la gorge à la manière dégoûtante des grands
artistes.

Dans le silence angoissé où grinçaient, punkas minuscules, les armatures parfumées des éventails, le piano
préluda. Et soudain une note aiguë, un cri vibrant troua
ma cervelle, hérissa la peau de mon échine : la dame chantait. A ce premier cri, jailli du plus profond de sa poitrine,
succéda la langueur d'une phrase, nuancée par le mezzo
le plus velouté, le plus plein, le plus tangible que j'eusse
entendu jamais... Saisi, je relevai mon regard vers la
dame qui chantait... Elle avait sûrement grandi depuis
un instant. Les yeux larges ouverts et aveugles, elle
contemplait quelque chose d'invisible vers quoi tout son
corps s'élançait, hors de son armure de satin blanc...
Le bleu de ses yeux avait noirci et sa chevelure, teinte
ou non, la coiffait d'une flamme fixe, toute droite. Sa
grande bouche généreuse s'ouvrait, et j'en voyais s'envoler
les notes brûlantes, les unes pareilles à des bulles d'or, les
autres comme de rondes roses pures... Des trilles bril-
laient comme un ruisseau frémissant, comme une cou-

leuvre fine; de lentes vocalises me caressaient comme une
main traînante et fraîche. O voix inoubliable! Je me pris
à contempler, fasciné, cette grande bouche aux lèvres
fardées, roulées sur des dents larges, cette porte d'or des
sons, cet écrin de mille joyaux... Un sang rose colorait les
pommettes kalmouckes, les épaules enflées d'un souffle
précipité, la gorge offerte... Au bas du buste tendu dans
une immobilité passionnée, deux expressives petites
mains tordaient leurs doigts nus... Seuls les yeux, presque
noirs, planaient au-dessus de nous, au-dessus de tout,
aveugles et sereins...

"Amour!..." chanta la voix... Et je vis la bouche
irrégulière, humide et pourprée, se resserrer sur le mot
en dessinant l'image d'un baiser... Un désir si brusque
et si fou m'embrasa que mes paupières se mouillèrent
de larmes nerveuses. La voix merveilleuse avait tremblé,
comme étouffée d'un flot de sang, et les cils épais de la dame
qui chantait battirent, une seule fois... Oh! boire cette voix
à sa source, la sentir jaillir entre les cailloux polis de
cette luisante denture, l'endiguer une minute contre mes
propres lèvres, l'entendre, la regarder bondir, torrent
libre, et s'épanouir en longue nappe harmonieuse que je
fêlerais d'une caresse... Etre l'amant de cette femme que
sa voix transfigure, — et de cette voix! Séquestrer pour
moi, — pour moi seul! — cette voix plus émouvante que
la plus secrète caresse, et le second visage de cette femme,
son masque irritant et pudique de nymphe qu'un songe
enivre!...

Au moment où je succombais de délice, la dame qui
chantait se tut. Mon cri d'homme qui tombe se perdit
dans un tumulte poli d'applaudissements, dans ces
"ouao-ouao" qui signifient *bravo* en langue salonnière.
La dame qui chantait s'inclina pour remercier, en dérou-

lant entre elle et nous un sourire, un battement de paupières qui la séparaient du monde. Elle prit le bras du
pianiste et tenta de gagner une porte; sa traîne de satin
piétinée, écrasée, entravait ses pas... Dieux! allais-je la
perdre? Déjà je ne voyais plus d'elle qu'un coin de son
armure blanche... Je m'élançai, sauvage, pareil en fureur
dévastatrice à certains "rescapés" du bazar de la rue
Jean-Goujon...

Enfin, enfin, je l'atteignis quand elle abordait le buffet,
île fortunée, chargée de fruits et de fleurs, scintillante de
cristaux et de vins pailletés.

Elle étendit la main, et je me précipitai, mes doigts
tremblants offrant une coupe pleine... Mais elle m'écarta
sans ménagements et me dit, atteignant une bouteille
de bordeaux : " Merci bien, monsieur, mais le champagne
m'est contraire surtout lorsque je sors de chanter. Il me
retombe sur les jambes. Surtout que ces messieurs et
dames veulent que je leur chante encore *La vie et l'amour
d'une femme*, vous pensez... " Et sa grande bouche — grotte
d'ogre où niche l'oiseau merveilleux — se referma sur un
cristal fin qu'elle eût, d'un sourire, broyé en éclats.

Je ne ressentis point de douleur, ni de colère. J'avais
retenu seulement ceci : elle allait chanter encore... J'attendis, respectueux, qu'elle eût vidé un autre verre de
bordeaux, qu'elle eût, d'un geste qui récure, essuyé les
ailes de son nez, les coins déplorables de ses lèvres, aéré
ses aisselles mouillées, aplati son ventre d'une tape sévère
et affermi sur son front le " devant " postiche de ses
cheveux oxygénés.

J'attendis, résigné, meurtri, mais plein d'espoir, que
le miracle de sa voix me la rendît...

EN BAIE DE SOMME

CE doux pays, plat et blond, serait-il moins simple que je l'ai cru d'abord? J'y découvre des mœurs bizarres : on y pêche en voiture, on y chasse en bateau... " Allons, au revoir, la barque est prête, j'espère vous rapporter ce soir un joli rôti de bécassines... " Et le chasseur s'en va, encaqué dans son ciré jaune, le fusil en bandoulière... " Mes enfants, venez vite! voilà les charrettes qui reviennent! je vois les filets tout pleins de limandes pendus aux brancards! " Etrange, pour qui ignore que le gibier s'aventure au-dessus de la baie et la traverse, du Hourdel au Crotoy, du Crotoy à Saint-Valery; étrange, pour qui n'a pas grimpé dans une de ces carrioles à larges roues, qui mènent les pêcheurs tout le long des vingt-cinq kilomètres de la plage, à la rencontre de la mer...

Beau temps. On a mis tous les enfants à cuire ensemble sur la plage. Les uns rôtissent sur le sable sec, les autres mijotent au bain-marie dans les flaques chaudes. La jeune maman, sous l'ombrelle de toile rayée, oublie délicieusement ses deux gosses et s'enivre, les joues chaudes, d'un roman mystérieux, habillé comme elle de toile écrue...

— Maman!...

— .....

— Maman, dis donc, maman!...

Son gros petit garçon, patient et têtu, attend, la pelle aux doigts, les joues sablées comme un gâteau...

— Maman, dis donc, maman...

Les yeux de la liseuse se lèvent enfin, hallucinés, et elle jette dans un petit aboiement excédé :

— Quoi?

— Maman, Jeannine est noyée.

— Qu'est-ce que tu dis?

— Jeannine est noyée, répète le bon gros petit garçon têtu.

Le livre vole, le pliant tombe...

— Qu'est-ce que tu dis, petit malheureux? ta sœur est noyée?

— Oui. Elle était là, tout à l'heure, elle n'y est plus. Alors je pense qu'elle s'est noyée.

La jeune maman tourbillonne comme une mouette et va crier... quand elle aperçoit la " noyée " au fond d'une cuve de sable, où elle fouit comme un ratier...

— Jojo! tu n'as pas honte d'inventer des histoires pareilles pour m'empêcher de lire? Tu n'auras pas de chou à la crème à quatre heures!

Le bon gros écarquille des yeux candides.

— Mais c'est pas pour te taquiner, maman! Jeannine était plus là, alors je croyais qu'elle était noyée.

— Seigneur! il le croyait!!! et c'est tout ce que ça te faisait?

Consternée, les mains jointes, elle contemple son gros petit garçon, par-dessus l'abîme qui sépare une grande personne civilisée d'un petit enfant sauvage...

*

Mon petit bull a perdu la tête. Aux trousses du bécasseau et du pluvier à collier, il s'arrête, puis part follement, s'essouffle, plonge entre les joncs, s'enlise, nage et ressort bredouille, mais ravi et secouant autour de lui une toison

imaginaire... Et je comprends que la mégalomanie le tient
et qu'il se croit devenu épagneul....

La Religieuse et le chevalier Piedrouge devisent avec
l'Arlequin. La Religieuse penche la tête, puis court,
coquette, pour qu'on la suive, et pousse de petits cris...
Le chevalier Piedrouge, botté de maroquin orange,
siffle d'un air cynique, tandis que l'Arlequin, fuyant et
mince, les épie...

O lecteur vicieux, qui espérez une anecdote dans le goût
grivois et suranné, détrompez-vous : je vous conte seulement les ébats de trois jolis oiseaux de marais.

Ils ont des noms charmants, ces oiseaux de la mer et du
marécage. Des noms qui fleurent la comédie italienne,
voire le roman héroïque — comme le Chevalier Combat-
tant, ce guerrier d'un autre âge, qui porte plastron et
collerette hérissée, et cornes de plumes sur le front.
Plastron vulnérable, cornes inoffensives, mais le mâle
ne ment pas à son nom, car les Chevaliers Combattants
s'entretuent sous l'œil paisible de leurs femelles, harem
indifférent accroupi en boule dans le sable...

*

Dans un petit café du port, les pêcheurs attendent, pour
repartir, le flot qui monte et déjà chatouille sournoise-
ment la quille des bateaux, échoués de biais sur le sable
au bas du quai. Ce sont des pêcheurs comme partout,
en toile goudronnée, en tricot bleu, en sabots camus.
Les vieux ont le collier de barbe et la pipe courte... C'est
le modèle courant, vulgarisé par la chromolithographie
et l'instantané.

Ils boivent du café et rient facilement, avec ces clairs yeux vides de pensée qui nous charment, nous autres terriens. L'un d'eux est théâtralement beau, ni jeune ni vieux, crépu d'une toison et d'une barbe plus pâles que sa peau tannée, avec des yeux jaunes, des prunelles de chèvre rêveuse qui ne clignent presque jamais.

La mer est montée, les bateaux dansent dans la baie, au bout de leurs amarres, et trinquent du ventre. Un à un, les pêcheurs s'en vont, et serrent la patte du beau gars aux yeux d'or : "A revoir, Canada." A la fin, Canada reste seul dans le petit café, debout, le front aux vitres, son verre d'eau-de-vie à la main... Qu'attend-il? Je m'impatiente et me décide à lui parler :

— Ils vont loin comme ça?

Son geste lent, son vaste regard désignent la haute mer :

— Par là-bas. Y a bien de la crevette ces jours-ci. Y a bien de la limande et du maquereau, et de la sole... Y a bien un peu de tout...

— Vous ne pêchez pas aujourd'hui, vous?

Les prunelles d'or se tournent vers moi, un peu méprisantes :

— Je ne suis pas pêcheur, ma petite dame. Je travaille (*sic*) avec le photographe pour les cartes postales. Je suis "type local".

BAIN DE SOLEIL. — "Poucette, tu vas te cuire le sang! viens ici tout de suite!" Ainsi apostrophée du haut de la terrasse, la chienne bull lève seulement son museau de monstre japonais couleur de bronze. Sa gueule, fendue jusqu'à la nuque, s'entrouvre pour un petit halètement court et continu, fleurie d'une langue frisée, rose comme un bégonia. Le reste de son corps traîne, écrasé comme celui d'une grenouille morte... Elle n'a pas bougé; elle ne bougera pas, elle cuit...

Une brume de chaleur baigne la baie de Somme, où la marée de morte-eau palpite à peine, plate comme un lac. Reculée derrière ce brouillard moite et bleu, la Pointe de Saint-Quentin semble frémir et flotter, inconsistante comme un mirage... La belle journée à vivre sans penser, vêtue seulement d'un maillot de laine!

...Mon pied nu tâte amoureusement la pierre chaude de la terrasse, et je m'amuse de l'entêtement de Poucette, qui continue sa cure de soleil avec un sourire de suppliciée... "Veux-tu venir ici, sotte bête!" Et je descends l'escalier dont les derniers degrés s'enlisent, recouverts d'un sable plus mobile que l'onde, ce sable vivant qui marche, ondule, se creuse, vole et crée sur la plage, par un jour de vent, des collines qu'il nivelle le lendemain...

La plage éblouit et me renvoie au visage, sous ma cloche de paille rabattue jusqu'aux épaules, une chaleur montante, une brusque haleine de four ouvert. Instinctivement, j'abrite mes joues, les mains ouvertes, la tête

détournée comme devant un foyer trop ardent... Mes
orteils fouillent le sable pour trouver, sous cette cendre
blonde et brûlante, la fraîcheur salée, l'humidité de la
marée dernière...

Midi sonne au Crotoy, et mon ombre courte se ramasse
à mes pieds, coiffée d'un champignon...

Douceur de se sentir sans défense et, sous le poids
d'un beau jour implacable, d'hésiter, de chanceler une
minute, les mollets criblés de mille aiguilles, les reins
fourmillants sous le tricot bleu, puis de glisser sur le
sable, à côté de la chienne qui bat de la langue!

Couchée sur le ventre, un linceul de sable me couvre
à demi. Si je bouge, un fin ruisseau de poudre s'épanche
au creux de mes jarrets, chatouille la plante de mes pieds...
Le menton sur mes bras croisés, le bord de la cloche de
jonc borne mes regards et je puis à mon aise divaguer, me
faire une âme nègre à l'ombre d'une paillote. Sous mon
nez, sautent, paresseusement, trois puces de mer, au
corps de transparente agate grise... Chaleur, chaleur...
Bourdonnement lointain de la houle qui monte ou du
sang dans mes oreilles?... Mort délicieuse et passagère,
où ma pensée se dilate, monte, tremble et s'évanouit
avec la vapeur azurée qui vibre au-dessus des dunes...

A MARÉE BASSE. — Des enfants, des enfants... Des
gosses, des mioches, des bambins, des lardons, des salés...
L'argot ne saurait suffire, ils sont trop! Par hasard, en
retournant à ma villa isolée et lointaine, je tombe dans cette
grenouillère, dans cette tiède cuvette que remplit et laisse,
chaque jour, la mer...

Jerseys rouges, jerseys bleus, culottes troussées, san-
dales; — cloches de paille, bérets, charlottes de lingerie;

— seaux, pelles, pliants, guérites... Tout cela, qui devrait
être charmant, m'inspire de la mélancolie. D'abord ils
sont trop! Et puis, pour une jolie enfant en pomme,
joufflue et dorée, d'aplomb sur des mollets durs, que de
petits Parigots, victimes d'une foi maternelle et routi-
nière : " La mer, c'est si bon pour les enfants! " Ils sont
là, à demi nus, pitoyables dans leur maigreur nerveuse,
gros genoux, cuissots de grillons, ventres saillants... Leur
peau délicate a noirci, en un mois, jusqu'au marron-
cigare; c'est tout, et ça suffit. Leurs parents les croient
robustes, ils ne sont que teints. Ils ont gardé leurs grands
yeux cernés, leurs piètres joues. L'eau corrosive pèle
leurs mollets pauvres, trouble leur sommeil d'une fièvre
quotidienne, et le moindre accident déchaîne leur rire
ou leurs larmes faciles de petits nerveux passés au jus
de chique...

Pêle-mêle, garçons et filles, on barbote, on mouille
le sable d'un "fort", on canalise l'eau d'une flaque
salée... Deux "écrevisses" en jersey rouge travaillent
côte à côte, frère et sœur du même blond brûlé, peut-être
jumeaux de sept à huit ans. Tous deux, sous le bonnet à
pompon, ont les mêmes yeux bleus, la même calotte de
cheveux coupés au-dessus des sourcils. Pourtant l'œil ne
peut les confondre et, pareils, ils ne se ressemblent pas.

Je ne saurais dire par quoi la petite fille est déjà une
petite fille... Les genoux gauchement et fémininement
tournés un peu en dedans?... Quelque chose, dans les
hanches à peine indiquées, s'évase plus moelleux, avec
une grâce involontaire? Non, c'est surtout le geste qui la
révèle. Un petit bras nu, impérieux, commente et dessine
tout ce qu'elle dit. Elle a une volte souple du poignet,
une mobilité des doigts et de l'épaule, une façon coquette
de camper son poing au pli de sa taille future...

Un moment, elle laisse tomber sa pelle et son seau, arrange je ne sais quoi sur sa tête; les bras levés, le dos creux et la nuque penchée, elle devance, gracieuse, le temps où elle nouera, ainsi debout et cambrée, le tulle de sa voilette devant le miroir d'une garçonnière...

FORÊT DE CRÉCY. — A la première haleine de la forêt, mon cœur se gonfle. Un ancien moi-même se dresse, tressaille d'une triste allégresse, pointe les oreilles, avec des narines ouvertes pour boire le parfum.

Le vent se meurt sous les allées couvertes, où l'air se balance à peine, lourd, musqué... Une vague molle de parfum guide les pas vers la fraise sauvage, ronde comme une perle, qui mûrit ici en secret, noircit, tremble et tombe, dissoute lentement en suave pourriture framboisée dont l'arôme se mêle à celui d'un chèvrefeuille verdâtre, poissé de miel, à celui d'une ronde de champignons blancs... Ils sont nés de cette nuit, et soulèvent de leurs têtes le tapis craquant de feuilles et de brindilles... Ils sont d'un blanc fragile et mat de gant neuf, emperlés, moites comme un nez d'agneau; ils embaument la truffe fraîche et la tubéreuse.

Sous la futaie centenaire, la verte obscurité solennelle ignore le soleil et les oiseaux. L'ombre impérieuse des chênes et des frênes a banni du sol l'herbe, la fleur, la mousse et jusqu'à l'insecte. Un écho nous suit, inquiétant, qui double le rythme de nos pas... On regrette le ramier, la mésange; on désire le bond roux d'un écureuil ou le lumineux petit derrière des lapins... Ici la forêt, ennemie de l'homme, l'écrase.

Tout près de ma joue, collé au tronc de l'orme où je m'adosse, dort un beau papillon crépusculaire dont je sais le nom : lykénée... Clos, allongé en forme de feuille, il attend son heure. Ce soir, au soleil couché, demain, à l'aube trempée, il ouvrira ses lourdes ailes bigarrées de fauve, de gris et de noir. Il s'épanouira comme une danseuse tournoyante, montrant deux autres ailes plus courtes, éclatantes, d'un rouge de cerise mûre, barrées de velours noir; — dessous voyants, juponnage de fête et de nuit qu'un manteau neutre, durant le jour, dissimule...

VENDREDI. — Marthe dit : " Mes enfants, on va pêcher demain à la Pointe!... Café au lait pour tout le monde à huit heures. L'auto plaquera ceux qui ne seront pas prêts! " Et j'ai baissé la tête et j'ai dit : " Chouette! " avec une joie soumise qui n'exclut pas l'ironie. Marthe, créature combative, inflige les félicités d'un ton dur et d'un geste coupant. Péremptoire, elle complète le programme des fêtes : " On déjeunera là-bas, dans le sable. On emmène vous, et puis le Silencieux qui va rafler tout le poisson, et puis Maggie pour qu'elle étrenne son beau costume de bain! "

Là-dessus, elle a tourné les talons. Je vois de loin, sur la terrasse qui domine la mer, son chignon roux, qui interroge l'horizon d'un air de menace et de défi. Je crois comprendre, au hochement de son petit front guerrier, qu'elle murmure : " Qu'il pleuve demain, et nous verrons!... " Elle rentre, et, délivré du poids de son regard, le soleil peut se coucher tranquillement au-delà de la baie de Somme, désert humide et plat où la mer, en se retirant, a laissé des lacs oblongs, des flaques rondes, des canaux vermeils où baignent les rayons horizontaux... La dune est mauve, avec une rare chevelure d'herbe bleuâtre, des oasis de liserons délicats dont le vent déchire, dès leur éclosion, la jupe-parapluie veinée de rose...

Les chardons de sable, en tôle azurée, se mêlent à l'arrête-bœuf fleuri de carmin, l'arrête-bœuf, qui pique d'une épine si courte qu'on ne se méfie pas de lui. Flore

pauvre et dure, qui ne se fane guère et brave le vent et
la vague salée, flore qui sied à notre petite hôtesse batail-
leuse, ce beau chardon roux, au regard d'écolier sans
vergogne.

Pourtant, çà et là, verdit la criste marine, grasse, juteuse,
acidulée, chair vive et tendre de ces dunes pâles comme
la neige... Quand cette poison de Marthe, mon amie,
a exaspéré tout le monde, quand on est tout près — à cause
de sa face de jeune furie, de sa voix de potache — d'oublier
qu'elle est une femme, alors Marthe rit brusquement,
rattache une mèche rousse envolée, en montrant des bras
clairs, luisants, dans lesquels on voudrait mordre et qui
craqueraient, frais, acidulés et juteux sous la dent comme
la criste marine.

La baie de Somme, humide encore, mire sombrement
un ciel égyptien, framboise, turquoise et cendre verte.
La mer est partie si loin qu'elle ne reviendra peut-être
plus jamais?... Si, elle reviendra, traîtresse et furtive
comme je la connais ici. On ne pense pas à elle; on lit
sur le sable, on joue, on dort, face au ciel, — jusqu'au
moment où une langue froide, insinuée entre vos orteils,
vous arrache un cri nerveux : la mer est là, toute plate,
elle a couvert ses vingt kilomètres de plage avec une vitesse
silencieuse de serpent. Avant qu'on l'ait prévue, elle a
mouillé le livre, noirci la jupe blanche, noyé le jeu de
croquet et le tennis. Cinq minutes encore, et la voilà
qui bat le mur de la terrasse, d'un flac-flac doux et rapide,
d'un mouvement soumis et content de chienne qui remue
la queue...

Un oiseau noir jaillit du couchant, flèche lancée par le
soleil qui meurt. Il passe au-dessus de ma tête avec un
crissement de soie tendue et se change, contre l'Est
obscur, en goéland de neige...

Samedi matin, 8 *heures*. — Brouillard bleu et or, vent frais, tout va bien. Marthe pérore en bas et les peuples tremblent prosternés. Je me hâte; arriverai-je à temps pour l'empêcher de poivrer à l'excès la salade de pommes de terre?

8 *h.* 1/2. — Départ! l'auto ronronne, pavoisée de haveneaux flottants. Du fond d'un imperméable verdâtre, de dessous une paire de lunettes bombées, la voix de Marthe vitupère le zèle maladroit des domestiques, "ces empotés qui ont collé les abricots contre le rôti de porc frais!". Pourtant, elle condescend à me tendre une patte gantée, et je devine qu'elle me sourit avec une grâce scaphandrière... Maggie, mal éveillée, prend lentement conscience du monde extérieur et sourit en anglais. Nous savons tous ce qu'elle cache, sous son long paletot, un costume de bain pour music-hall (tableau de la pêche aux crevettes). Le Silencieux, qui ne dit rien, fume avec activité.

8 *h.* 3/4. — Sur la route plate, qui se tortille inutilement et cache, à chaque tournant, un paysan et sa charrette, Marthe, au volant, freine un peu brusquement et grogne dans son scaphandre...

8 *h.* 50. — Tournant brusque, paysan et charrette... Embardée sur la gauche. Marthe crie : " Cocu! "

9 *heures.* — Tournant brusque : au milieu de la route, petit garçon et sa brouette à crottin. Embardée à droite. Marthe frôle le gamin et lui crie : " Cocu! " Déjà! pauvre gosse...

9 *h.* 20. — La mer, à gauche, entre des dunes arrondies. Quand je dis la mer... elle est encore plus loin qu'hier soir. Mes compagnons m'assurent qu'elle est montée, pendant mon sommeil, jusqu'à cette frange de petites coquilles roses, mais je n'en crois rien.

9 *h.* 30. — Les Cabanes! Trois ou quatre cercueils noirs, en planches goudronnées, tachent la dune, la dune d'un sable si pur ici, si délicatement mamelonné par le vent, qu'on songe à la neige, à la Norvège, à des pays où l'hiver ne finit point...

> Dans un immobile roulis
> Le sable fin creuse une alcôve
> Où, malgré les cris de la mauve,
> On peut se blottir, et, pour lits,
> La dune a de charmants replis...

murmure le Silencieux, poète modeste. Marthe, excitée, se penche sur le volant et... enlise deux roues de l'auto. Plus vive qu'un petit bull, elle saute à terre, constate le dommage et déclare avec calme : " C'est aussi bien comme ça, d'ailleurs. Je n'aurais pas pu tourner plus loin. "

Nous avons atteint le bout du monde. La dune, toute nue, abrite entre ses genoux ronds les cabanes noires, et devant nous fuit le désert qui déçoit et réconforte, le désert sous un soleil blanc, dédoré par la brume des jours trop chauds...

10 *heures.* — " Tribu papoue conjurant l'Esprit des Eaux amères. " C'est la légende que j'écrirai au verso de l'instantané que vient de prendre Maggie. Les " indigènes ", à têtes de phoques mouillés, dans l'eau jusqu'au ventre, la battent avec de longues perches, en hurlant rythmiquement. Ils rabattent le poisson dans le filet tendu en travers d'un grand lac allongé, un grand bout de mer qu'abandonne ici la marée négligente. Le carrelet y grouille, et la crevette grise, et le flet et la limande... Marthe s'y rue et fouit les rives de sable mouvant, avec une activité de bon ratier. Je l'imite, à pas précautionneux d'abord, car toute ma peau se hérisse, à sentir passer

entre mes chevilles quelque chose de plat, vif et glissant...

— A vous! à vous, bon Dieu! vous ne la voyez donc pas?

— Quoi?

— La limande, la limande, là!... "

Là?... Oui, une assiette plate nacrée, qui miroite et file
entre deux eaux... Héroïque, je fouille le fond de l'eau,
à quatre pattes, à plat ventre, traînée sur les genoux... Un
bref jappement : c'est Marthe qui crie de triomphe et
lève au bout de son bras ruisselant l'assiette plate qui se
tord et fouette... Je crèverai de jalousie, si je reviens
bredouille! Où est le Silencieux? oh! le lâche, il pêche
au haveneau! Et Maggie? ça va bien, elle nage, soucieuse
uniquement de sa plastique et de son maillot de soie
framboise... C'est contre Marthe seule que je lutte, Marthe
et son calot de cheveux rouges collés, Marthe ficelée dans du
gros jersey bleu, petit mathurin à croupe ronde...Les bêtes,
les bêtes, je les sens, elles me narguent! Un gros lançon
de nacre jaillit du sable mou, dessine en l'air, de sa queue
de serpent, un monogramme étincelant et replonge...

11 *heures*. — La tribu papoue a fini ses conjurations.
L'Esprit des Eaux amères, sensible aux hurlements rituels,
a comblé de poissons plats leurs filets. Sur le sable, captives
encore des mailles goudronnées, agonisent de belles
plies au ventre émouvant, l'insipide flet, les carrelets
éclaboussés d'un sang indélébile... Mais je ne veux que
la proie traquée par mes seules mains écorchées, entre mes
genoux écaillés par le sable et les coquilles tranchantes...
Le carrelet, je le connais à présent, c'est un gros serin
qui pique du nez droit entre mes chevilles jointes et s'y
bloque, — la limande n'est pas plus maligne... Nous pê-
chons côte à côte, Marthe et moi, et le même jappement
nous échappe, quand la prise est belle...

11 *h.* 1/2. — Le soleil cuit nos nuques, nos épaules

qui émergent de l'eau tiède et corrosive... La vague, sous nos yeux fatigués, danse en moires glauques, en bagues dorées, en colliers rompus... Aïe, mes reins!... Je cherche mes compagnons muets; le Silencieux arrive, juste comme Marthe, à bout de forces, gémit : " J'ai faim! "... Le Silencieux fume, et son gros cigare ne lui laisse que la place d'un sourire d'orgueil. Il tend vers nous son haveneau débordant de nacres vivantes...

Maggie vient à son tour, ravie d'elle-même : elle a pris sept crevettes et un enfant de sole...

— A la soupe, les enfants! crie Marthe. Les indigènes charrieront le gibier jusqu'à l'auto.

— Oh! on va emporter tout? il y en a au moins cinquante livres!

— D'abord, ça fond beaucoup à la cuisson. On en mangera ce soir en friture, demain matin au gratin, demain soir au court-bouillon... Et puis on en mangera à la cuisine, et on en donnera peut-être aux voisins...

1 *heure.* — Assis sous la tente, nous déjeunons lentement, dégrisés... Là-bas, au bout du désert aveuglant et sans ombre, quelque chose bout mystérieusement, ronronne et se rapproche, — la mer!... Le champagne ne nous galvanise pas, la migraine plane sur nos têtes laborieuses...

Nous nous contemplons sans aménité. Marthe a pincé un coup de soleil sur son petit nez de bull. Le Silencieux bâille et mâche son cinquième cigare. Maggie nous choque un peu, trop blanche et trop nue, dans son maillot framboise...

— Qu'est-ce qui sent comme ça? s'écrie Marthe. Ça empeste le musc, et je ne sais quoi encore...

— Mais c'est le poisson! Les filets pleins pendent là...

— Mes mains aussi empestent. C'est le flet qui sent cette pourriture musquée... Si on donnait un peu de poisson à ces braves indigènes?...

2 heures. — Retour morne. Nous flairons nos mains à la dérobée. Tout sent le poisson cru : le cigare du Silencieux, le maillot de Maggie, la chevelure humide de Marthe... Le vent d'Ouest, mou et brûlant, sent le poisson... La fumée de l'auto, et la dune glacée d'ombre bleue, et toute cette journée, sentent le poisson...

3 heures. — Arrivée. La villa sent le poisson. Farouche, le cœur décroché, Marthe s'enferme dans sa chambre. La cuisinière frappe à la porte :

— Madame veut-elle me dire si elle veut les limandes frites ou gratinées ce soir?

Une porte s'ouvre furieusement et la voix de Marthe vocifère :

— Vous allez me faire le plaisir de faire disparaître de la maison toute cette cochonnerie de marée! Et pendant une semaine je vous défends de servir autre chose que des œufs à la coque et du poulet rôti!

On répète en costume, à l'X... une pantomime que les communiqués prévoient " sensationnelle ". Le long des couloirs qui fleurent le plâtre et l'ammoniaque, au plus profond de l'orchestre, abîme indistinct, circulent et se hâtent d'inquiétantes larves... Rien ne marche. Pas fini, le décor trop sombre qui boit la lumière et ne la rend pas; mal réglés, les jeux de halo du projecteur, — et cette fenêtre rustique enguirlandée de vigne rousse, qui s'ouvre de bonne grâce, mais refuse de se clore!...

Le mime W... surmené, fait sa dame-aux-camélias, la main sur l'estomac pour contenir une toux rauque; il tousse à effrayer, il tousse à en mourir, avec des saccades de mâchoires d'un dramatique!... Le petit amoureux s'est, dans son trouble, grimé en poivrot, nez rouge et oreilles blafardes, ce pour quoi il s'entend nommer, par l'organe expirant du mime W... "fourneau, cordonnier", et même "vaseline...". Rien ne marche, rien ne marchera!

Le patron est là, sur le plateau, le gros commanditaire aussi, celui qui ne se déplace que pour les "numéros" coûteux. Le compositeur — un grand type mou qui a l'air de n'avoir d'os nulle part, — laissant toute espérance, a dégoté, derrière un portant, le chaudron des répétitions, le piano exténué aux sonorités liquides de mustel, et se nettoie les oreilles, comme il dit, avec un peu de Debussy... *Mes longs cheveux descendent jusqu'au bas de la tour...* " Quant aux musiciens de l'orchestre, ils s'occupent, à coup sûr, d'améliorer en France la race chevaline; de la contrebasse à la flûte, le *Jockey* circule...

— Et Mme Loquette? s'écrie le patron nerveux, on ne la voit pas souvent!

— Son costume n'est pas prêt, exhale le mime W... dans un souffle.

Le patron sursaute et aboie, au premier plan, la mâchoire tendue au-dessus de l'orchestre.

— Quoi? qu'est-ce que vous dites? Son costume pas prêt? un costume à transformation, quand on passe ce soir! C'est des coups à se faire emboîter, ça, mon petit!...

Geste d'impuissance du mime W..., geste peut-être d'adieu à la vie, il est si enrhumé!... Soudain, l'agonisant bondit comme un pelotari et retrouve une voix de bedeau pour beugler :

— N... de D...! touchez pas à ça! C'est mon lingue à jus de groseilles!

Avec des mains d'infirmière, il manie et essaie son poignard truqué, accessoire de précision qui saigne des gouttes sirupeuses et rouges...

— Ah! voilà madame Loquette! enfin!

On se précipite, avec des exclamations de soulagement, vers la principale interprète. Le gros commanditaire assure son monocle. Mme Loquette, qui a froid, frissonne des coudes, et serre les épaules sous son costume peut-être monténégrin, sans doute croate, à coup sûr moldovalaque, avec quelque chose de dalmate dans l'allure générale... Elle a faim, elle vient de passer quatre heures debout chez Landolff, elle bâille d'agacement...

— Voyons ce fameux costume!

C'est une déception. "Trop simple!" murmure le patron. "Un peu sombre!" laisse tomber le gros commanditaire. L'auteur de la musique, oubliant *Pelléas*, s'approche, onduleux et désossé, et dit pâteusement : " C'est

drôle, je ne le voyais pas comme ça... Moi, j'aurais aimé
quelque chose de vert, avec de l'or, et puis avec un tas
de machins qui pendent, des ... fourbis, des ... des zédi-
poifs, quoi! "

Mais le mime W..., enchanté, déclare que ce rouge-
rose fait épatamment valoir les feuille-morte et les gris
de sa défroque de contrebandier. Mme Loquette, les
yeux ailleurs, ne répond rien et souhaite seulement, de
toutes les forces de son âme, un sandwich au jambon,
ou deux, — ou trois, — avec de la moutarde...

Silence soucieux.

— Enfin, soupire le patron, voyons le dessous...
Allez-y, W..., prenez votre scène au moment où vous lui
arrachez sa robe...

Le bronchité, le pneumonique se transforme, d'un
geste de son visage, en brute montagnarde, et se rue,
poignard levé, sur Mme Loquette, l'affamée Loquette
devenue brusquement une petite femelle traquée, haletante, les griffes prêtes... Ils luttent un court instant, la
robe se déchire du col aux chevilles, Mme Loquette appa-
raît demi-nue, le cou renversé offert au couteau...

— Hep!... arrêtez-vous, mes enfants! l'effet est excel-
lent! Pourtant, attendez...

Les hommes se rapprochent de la principale interprète.
Silence studieux. Elle laisse, plus indifférente qu'une pouliche à vendre, errer leurs regards sur ses épaules décou-
vertes, sur la jambe visible hors de la tunique fendue...

Le patron cherche, clappe des lèvres, ronchonne :

— Evidemment, évidemment... Ce n'est pas... Ce
n'est pas assez... pas assez nu, là!

La pouliche indifférente tressaille comme piquée par
un taon.

— Pas assez nu! qu'est-ce qu'il vous faut?

— Eh! il me faut... je ne sais pas, moi. L'effet est bon, mais pas assez éclatant, pas assez nu, je maintiens le mot! Tenez, cette mousseline sur la gorge... C'est déplacé, c'est ridicule, c'est engonçant... Il me faudrait...

Inspiré, le patron recule de trois pas, étend le bras, et, d'une voix d'aéronaute quittant la terre :

— Lâchez un sein! crie-t-il.

*

Même cadre. On répète la Revue. Une revue comme toutes les revues. C'est l'internement, de 1 à 7 heures, de tout un pensionnat pauvre et voyant, bavard, empanaché, — grands chapeaux agressifs, bottines dont le chevreau égratigné bleuit, jaquettes minces qu'on " réchauffe " d'un tour de cou en fourrure...

Peu d'hommes. Les plus riches reluisent d'une élégance boutiquière, les moins fortunés tiennent le milieu entre le lad et le lutteur. Quelques-uns s'en tiennent encore au genre démodé du rapin d'opérette, — beaucoup de cheveux et peu de linge, mais quels foulards!

Tous ont, en passant de la rue glaciale au promenoir, le même soupir de détente et d'arrivée, à cause de la bonne chaleur malsaine que soufflent les calorifères... Sur le plateau, le chaudron des répétitions fonctionne déjà, renforcé, pour les danses, d'un violon vinaigré. Treize danseuses anglaises se démènent, avec une froide frénésie. Elles dansent, dans cette demi-nuit des répétitions, comme elles danseront le soir de la générale, ni plus mal, ni mieux. Elles jettent, vers l'orchestre vide, le sourire enfantin, l'œil aguicheur et candide dont elles caresseront, à la première, les avant-scènes... Une conscience militaire anime leurs corps grêles et durs, jusqu'à l'instant

de redevenir, le portant franchi, des enfants maigres et
gaies, nourries de sandwiches et de pastilles de menthe...

Au promenoir, une camaraderie de prisonnières groupe
les petites marcheuses à trois louis par mois, celles qui
changeront six ou huit fois de costume au cours de la
Revue. Autour d'un guéridon de bar, elles bavardent
comme on mange, avec fièvre, avec gloutonnerie; plusieurs
tirent l'aiguille, et raccommodent des nippes de gosse...

L'une d'elles séduit par sa minceur androgyne. Elle
a coiffé ses cheveux courts d'un feutre masculin, d'une
élégance très Rat-Mort. Les jambes croisées sous sa
jupe étroite, elle fume et promène autour d'elle le regard
insolent et sérieux d'une Mademoiselle de Maupin.
L'instant d'après, sa cigarette finie, elle tricote, les épaules
basses, une paire de chaussons d'enfant... Pauvre petite
Maupin de Montmartre, qui arbore un vice seyant comme
on adopte le chapeau du jour. "Qu'est-ce que tu veux,
on n'a pas de frais de toilette, avec deux galures et deux
costumes tailleur je fais ma saison : et puis il y a des hommes qui aiment ça... "

Une boulotte camuse aux yeux luisants, costaude,
courtaude, coud d'une main preste et professionnelle,
en bavardant âprement. "*Ils* vont encore nous coller
une générale à minuit et demi, comme c'est commode...
Moi que j'habite au Lion de Belfort, parce que mon mari
est ouvrier serrurier... Alors, vous comprenez, la générale finit sur les trois heures et demie, peut-être quatre
heures, et je suis sûre de rentrer sur mes pattes, juste à
temps pour faire la soupe à mon mari qui s'en va à cinq
heures et demie, et puis, après, les deux gosses qu'il
faut qu'ils aillent à l'école... " Celle-ci n'a rien d'une
révoltée, d'ailleurs; chaque métier a ses embêtements,
n'est-ce pas?

Dans une baignoire d'avant-scène, un groupe coquet,
emplumé, fourré, angora, s'isole et tient salon. Il y a la
future commère et la diseuse engagée pour trois cou-
plets, et la petite amie d'un des auteurs, et celle du gros
commanditaire... Elles gagnent, toutes, entre trois cents
et deux mille francs par mois, mais on a des renards de
deux cents louis, et des sautoirs de perles... On est pin-
cées, posées, méfiantes. On ne joue pas à l'artiste, oh!
Dieu non. On ne parle pas de métier. On dit : " Moi, j'ai
eu bien des ennuis avec mon auto... Moi, je n'irai pas à
Monte-Carlo cet hiver, j'ai horreur du jeu! Et puis, après
la revue, je serai si contente de me reposer un peu chez
moi, de ne pas sortir le soir! *Mon ami* adore la vie de
famille... nous avons une petite fille de quatre ans qui est
un amour... "

Ici, comme à côté, l'enfant se porte beaucoup, légitime
ou non. J'entends : " L'institutrice de Bébé... Mon petit
Jacques qui est déjà un homme, ma chère! " L'une d'elles
renchérit et avoue modestement quatre garçons. Ce sont
des cris, des exclamations d'étonnement et d'envie...
La jeune pondeuse, fraîche comme une pomme, se
rengorge avec une moue d'enfant gâtée.

En face d'elle, la plus jolie de toutes médite, les doigts
taquinant son lourd collier de perles irisées, et fixe dans
le vide un regard bleu mauve, d'une nuance inédite et
sûrement très coûteuse. Elle murmure enfin : " Ça me
fait songer que je n'ai pas eu d'enfant depuis deux ans...
Il m'en faut un pour dans... dans quatorze mois. " Et
comme on rit autour d'elle, elle s'explique, paisible :
" Oui, dans quatorze mois. Ça me fera beaucoup de bien,
il n'y a rien qui " dépure " le sang comme un accouche-
ment. C'est un renouvellement complet, on a un teint,

après!... J'ai des amies qui passent leur vie à se purger,
à se droguer, à se coller des choses sur la figure... Moi,
au lieu de ça, je me fais faire un enfant, c'est bien plus
sain! " (rigoureusement *sic!*)

En quittant le promenoir, je frôle du pied quelque
chose qui traîne sur le tapis sale... Un peu plus, j'écrasais
une main, une petite patte enfantine, la paume en l'air...
Les petites Anglaises se reposent là, par terre, en tas.
Quelques-unes, assises, s'adossent au mur, les autres sont
jetées en travers de leurs genoux ou pelotonnées en
chien de fusil, et dorment. Je distingue un bras mince,
nu jusqu'au coude, une chevelure lumineuse en coques
rousses au-dessus d'une délicate oreille anémique...
Sommeil misérable et confiant, repos navrant et gracieux
de jeunes bêtes surmenées... On songe à une portée de
chatons orphelins, qui se serrent pour se tenir chaud...

TABLE DES MATIERES

IMPRIMERIE UNION, MULHOUSE
Imprimé en France
425 - 6 - Dépôt légal n° 6612, 3e trimestre 1967
LE LIVRE DE POCHE - Paris - 6, Avenue Pierre Ier de Serbie
30-11-0373-08

Littérature, roman, théâtre poésie

Alain-Fournier.
 Le grand Meaulnes, 1000*.
Allais (Alphonse).
 Allais... grement, 1392*.
 A la une... 1601*.
 Plaisir d'Humour, 1956*.
Ambrière (Francis).
 Les Grandes Vacances, 693**.
Anouilh (Jean).
 Le Voyageur sans Bagage suivi de
 Le Bal des Voleurs, 678*.
 La Sauvage suivi de *L'Invitation
 au Château*, 748**.
 Le Rendez-vous de Senlis suivi de
 Léocadia, 846*.
 Colombe, 1049*.
 L'Alouette, 1153*.
 Fables, 2076*.
 Becket, 1716*.
Apollinaire (Guillaume).
 Poésies, 771*.
Aragon (Louis).
 Les Cloches de Bâle, 59**.
 Les Beaux Quartiers, 133**.
 Les Voyageurs de l'Impériale,
 768***.
 Aurélien, 1142***.
 Le Paysan de Paris, 1670*.
Arland (Marcel).
 Terre Natale, 1264*.
Arnaud (Georges).
 Le Salaire de la Peur, 73*.
 Le Voyage du mauvais Larron,
 1438*.
Audiberti (Jacques).
 Le Mal court suivi de *L'Effet
 Glapion*, 911*.
Audoux (Marguerite).
 Marie-Claire, 742*.
Aymé (Marcel).
 La Jument Verte, 108*.
 La Tête des Autres, 180*.
 Le Passe-Muraille, 218*.
 Clérambard, 306*.
 Lucienne et le Boucher, 451*.
 La Vouivre, 1230*.

 Travelingue, 1468*.
 Le Chemin des Ecoliers, 1621*.
Barbusse (Henri).
 L'Enfer, 591*.
Barjavel (René).
 Ravage, 520*.
Barrès (Maurice).
 La Colline inspirée, 773*.
 Le Culte du moi, 1964**.
Barrow (John).
 Les Mutins du «Bounty», 1022**.
Baum (Vicki).
 Lac-aux-Dames, 167*.
 Grand Hôtel, 181**.
 Sang et Volupté à Bali, 323**.
 Prenez garde aux Biches, 1082**.
Bazin (Hervé).
 Vipère au Poing, 58*.
 La Mort du Petit Cheval, 112*.
 La Tête contre les Murs, 201**.
 Lève-toi et marche, 329*.
 L'Huile sur le Feu, 407*.
 Qui j'ose aimer, 599*.
 Au nom du fils, 1707**.
Beauvoir (Simone de).
 L'Invitée, 793**.
 Mémoires d'une Jeune Fille rangée,
 1315**.
 La Force de l'Age, 1458***.
Benoît (Pierre).
 Kœnigsmark, 1*.
 Mademoiselle de la Ferté, 15*.
 La Châtelaine du Liban, 82*.
 Le Lac Salé, 99*.
 Axelle suivi de *Cavalier 6*, 117**.
 L'Atlantide, 151*.
 Le Roi Lépreux, 174*.
 La Chaussée des Géants, 223**.
 Alberte, 276*.
 Pour Don Carlos, 375*.
 Le Soleil de Minuit, 408*.
 Erromango, 516**.
 Le Déjeuner de Sousceyrac, 633*.
 Le Puits de Jacob, 663*.

Dorgelès (Roland).
Le Cabaret de la Belle Femme, 92*.
Les Croix de Bois, 189**.
Le Château des Brouillards, 507*.
Partir, 1717**.

Dos Passos (John).
Manhattan Transfer, 740**.

Drieu La Rochelle.
Gilles, 831**.
L'Homme à cheval, 1473*.

Druon (Maurice).
Les Grandes Familles, 75**.
La Chute des Corps, 614**.
Rendez-vous aux Enfers, 896**.
La Volupté d'être, 1493*.

Duhamel (Georges).
Le Notaire du Havre, 731*.
Le Jardin des Bêtes Sauvages, 872*.
Vue de La Terre Promise, 963*.
La Nuit de la Saint-Jean, 1150*.
Le Désert de Bièvres, 1363*.
Les Maîtres, 1514*.
Cécile parmi nous, 1664*.
Vie des Martyrs, 1966*.

Dumas Fils (Alexandre).
La Dame aux Camélias, 125*.

Durrell (Lawrence).
Justine, 993**.
Balthazar, 1060**.
Mountolive, 1130**.
Cléa, 1227**.
Cefalû, 1469**.

Dutourd (Jean).
Au Bon Beurre, 195**.
Les Taxis de la Marne, 865*.
Une Tête de Chien, 1967*.

Eluard (Paul).
Poèmes, 1003*.

Faulkner (William).
Sanctuaire, 362**.
Le Bruit et la Fureur, 501**.
Lumière d'Août, 753***.

Ferber (Edna).
Saratoga, 304**.

Feydeau (Georges).
Occupe-toi d'Amélie suivi de
La Dame de chez Maxim, 581**.
Un Fil à la patte suivi de
Le Dindon, 1440**.

Fitzgerald (F. Scott).
Gatsby le Magnifique, 900*.

Fleuret (Fernand).
Histoire de la Bienheureuse Raton,
Fille de Joie, 576*.

Foldes (Yolande).
La Rue du Chat-qui-Pêche, 254**.

Fourest (Georges).
La Négresse Blonde suivi de
Le Géranium Ovipare, 1364*.

France (Anatole).
La Rôtisserie de la Reine Pédauque,
481*.
Les Dieux ont soif, 833*.
L'Ile des Pingouins, 1279**.
Le Lys rouge, 1371**.
L'Orme du Mail, 1403*.
Le Mannequin d'Osier, 1521*.
L'anneau d'améthyste, 1485*.
Monsieur Bergeret à Paris, 1974*.

Frank (Anne).
Journal, 287*.

Frapié (Léon).
La Maternelle, 490*.

Galsworthy (John).
Le Propriétaire, 1313**.
Aux Aguets, 1474**.
A Louer, 1523**.
Episodes et *derniers épisodes des*
Forsyte, 1672**.

Garcia Lorca (Federico).
La Maison de Bernarda suivi de
Noces de Sang, 996*.

Gary (Romain).
Éducation européenne, 878*.

Gascar (Pierre).
Les Bêtes suivi de *Le Temps des*
Morts, 212*.

Genevoix (Maurice).
Raboliot, 692*.

Géraldy (Paul).
Toi et Moi suivi de *Vous et Moi,*
1456*.

Gheorghiu (C.V.).
La Vingt-cinquième Heure, 172**.
La Seconde Chance, 1026**.

Gibeau (Yves).
Allons z'Enfants, 236**.
Les Gros Sous, 400**.
... Et la Fête continue, 998*.
La ligne droite, 1643*.

Gide (André).
La Symphonie Pastorale, 6*.
Les Faux-Monnayeurs, 152**.
Les Caves du Vatican, 183*.
L'Immoraliste, 372*.
La Porte étroite, 574*.
Isabelle, 621*.
L'Ecole des Femmes suivi de
Robert, 664*.
Les Nourritures Terrestres suivi de

Lehmann (Rosamond).
  L'Invitation à la Valse, 8*.
  La Ballade et la Source, 101**.
  Poussière, 149**.
  Intempéries, 199**.
  Le Jour enseveli, 281**.
Leiris (Michel).
  L'Age d'homme, 1559*.
Lewis (Sinclair).
  Babbitt, 258*.
Llewellyn (Richard).
  Qu'elle était verte ma vallée,
  232**.
Loos (Anita).
  *Les Hommes préfèrent les
  Blondes*, 54*.
Louys (Pierre).
  Les Aventures du Roi Pausole, 124*.
  La Femme et le Pantin, 398*.
  Aphrodite, 649*.
  Les Chansons de Bilitis, 803*.
Mac Coy (Horace).
  On achève bien les Chevaux, 489*.
Mac Donald (Betty).
  L'Œuf et moi, 94*.
Mac Lean (Alistair).
  Les Canons de Navarone, 904**.
  H.M.S. Ulysses, 984**.
Mac Orlan (Pierre).
  Le Quai des Brumes, 115*.
  La Bandera, 321*.
  Marguerite de la Nuit, 415*.
  Le Chant de l'Equipage, 733*.
  A bord de l'Etoile Matutine, 870*.
  Mademoiselle Bambù, 1720*.
Maeterlinck (Maurice).
  La Vie des Abeilles, 922*.
  La Vie des Fourmis, 1213*.
Mailer (Norman).
  Les Nus et les Morts, 814***.
Malaparte.
  Kaputt, 19**.
  La Peau, 495**.
  Le Soleil est aveugle, 1107*.
Mallet-Joris (F.).
  Le Rempart des Béguines, 1031*.
Malraux (André).
  La Condition humaine, 27*.
  Les Conquérants, 61*.
  La Voie royale, 86*.
  L'Espoir, 162**.
Mann (Thomas).
  La Montagne magique, t. 1. 570**.
  La Montagne magique, t. 2. 572**.
  La Mort à Venise suivi de
  Tristan, 1513*.
Mansfield (Katherine).
  La Garden Party, 168*.
Marceau (Félicien).
  Les Elans du Cœur, 284*.
  En de Secrètes Noces, 1129*.
  Capri, Petite Ile, 1281*.
  Bergère légère, 1425*.
Margerit (Robert).
  Le Dieu nu, 524*.
Margueritte (Victor).
  La Garçonne, 1952**.
Martet (Jean).
  Le Récif de Corail, 88*.
  Marion des Neiges, 111*.
Martin du Gard (Roger).
  Les Thibault (t. 1), 422**.
  Les Thibault (t. 2), 433**.
  Les Thibault (t. 3), 442**.
  Les Thibault (t. 4), 463**.
  Les Thibault (t. 5), 476**.
  Jean Barois 1125**.
Maugham (Somerset).
  Le Fil du Rasoir, 17**.
  Archipel aux Sirènes, 424*.
  Le Sortilège malais, 521*.
  Amours singulières, 560*.
  Servitude humaine, 596***.
  La Passe dangereuse, 730*.
  Mr. Ashenden, agent secret, 778*.
  La Lune et 75 centimes, 867*.
  Catalina, 1145*.
  Plus ça change, 1256*.
Maupassant (Guy de).
  Une Vie, 478*.
  Mademoiselle Fifi, 583*.
  Bel Ami, 619**.
  Boule de Suif, 650*.
  La Maison Tellier, 760*.
  Le Horla, 840*.
  Le Rosier de Madame Husson, 955*.
  Fort comme la Mort, 1084*.
  La Petite Roque, 1191*.
  Les Contes de la Bécasse, 1539*.
  Miss Harriet, 1962*.
Mauriac (François).
  Thérèse Desqueyroux, 138*.
  Le Nœud de Vipères, 251*.
  Le Mystère Frontenac, 359*.
  Les Anges Noirs, 580*.
  Le Désert de l'Amour, 691*.
  La Fin de la Nuit, 796*.
  Le Sagouin, 1048*.
  Le Baiser au Lépreux, 1062*.